# 蓬萊の海へ

## 台湾二・二八事件
## 失踪した父と
## 家族の軌跡

青山 惠昭
Aoyama Keisho

はじめに

# 父は「台湾二・二八事件」の犠牲者だった

台湾は、与那国島から一一一㎞の距離にある島である。沖縄島・那覇で比較すると、久米島くらい離れたところに位置する、時差は一時間あるが、沖縄にとって最も近い隣国である。

私は、戦前の日本統治下の台湾で生まれた、いわゆる「湾生」である。しかし戦後このかた台湾に対しては、何の愛着もなかった。台湾というと、かつては「暗くて遅れた偏狭な軍事国家」というイメージが強く、特に行ってみたいと思うことはなかった。少なくとも一九九〇年代初めまではそうだった。今、その程度の認識だったことを痛く恥じている。

台湾は、戦後しばらくして起こった「ある事件」をきっかけに、世界最長といわれた戒厳令が一九八七年まで敷かれていた。そのような強権的な政治体制下で喘いでいた台湾の人々が、ねばりづよく平和と民主主義を求めてたたかっていたということを、私は知らなかった。台湾のことを学んでいくうちに、台湾民衆のうねりに気づき、今日ある台湾の民主化は、先進的な多くの先達者の犠牲のもとに、一つひとつ勝ち取ってきた歴史であることを知った。

この「ある事件」というのは、大陸から台湾入りした国民党政権が行なった台湾住民への大弾圧「台湾二・二八事件」のことである。事件は一九四七年二月二八日台北市で発生、またたく間に台湾全土を巻き込んで多くの犠牲者を出し、同年五月末に収束した。

戦後台湾最大のタブーとして、記録は隠蔽され、人々の記憶が風化していく時代を越えて、二・二八事件が台湾国内外で公に認知されるようになったのは、一九八七年戒厳令が解除されて、台湾当局が責任の所在を認めた一九九〇年ごろ。今から三〇数年前のことである。父・青山恵先（あおやまえさき）は、その台湾二・二八事件の犠牲者だった。青山恵先は、日本の敗戦後、台湾でその消息をたった。生死すら分からない、まったくの行方不明となったのだ。父が一九四七年二月二八日に起きた台湾二・二八事件の犠牲者であることを、私たち家族が確信して、父の「失踪宣言」を那覇家庭裁判所に申立てたのは、事件から四六年も経った一九九三年のことであった。敗戦の動乱で私たち家族と離ればなれとなった父は、その間、失踪宣告がなされないまま、戸籍上、存在していた。母・美江（よしえ）にとって、父・恵先はずっと生きつづけていたのだ。

父が失踪したのは、私が三歳のときである。父の記憶はない。家庭裁判所へ失踪宣告を申立てた際、私は様々な証拠を求めて、父の出自とその足どりを探っていった。すると母や祖父から断片的に聞いていた父の人生と、私たち一族の歴史が段々とつながってきた。それは私の想像を超えたものであった。

一九〇八（明治四一）年、奄美・与論島で生まれた父は、一三歳で故郷与論島を出て、鹿児島、大牟田等を経て、二〇代半ば、「蓬萊の島」といわれた台湾基隆社寮島（キールンしゃりょう）にたどり着く。母や祖父がいう「日華事変」（「支那事変」ともいわれた日中戦争）で徴兵されたが無事帰還し、三〇歳を越えたころ社寮島で母とめぐり逢い結婚。やがて子ども（筆者）ができ、家庭を持つようになった。それから数か月後、再び徴兵されベトナムの戦場へ向かう。日本の敗戦後、ようやく九州に復員を果たし、引揚げがままならなかった家族のいる台湾へ向かった。台湾は敗戦国となった日本においてすでに「外国」であった。しかし基隆社寮島には家族はおらず、変わり果てた島で思いもよらぬ修羅場に立たされた。

一九九四年、那覇家庭裁判所で失踪宣告が確定したとき、私は、社寮島とその周辺の山海に落とされたであろう、父のマブイ（魂）を探し求めて行くことを心に刻んだが、台湾での真相解明の道のりは険しかった。

二〇〇七年、戦後初めて台湾へ渡った。以来、台湾の人々との交流が深まるなかで、外国人として初めてとなる、二・二八事件の犠牲者の「認定賠償請求」を申立てた。しかし台湾当局の申請却下と、私の不服申立てで、その認定賠償請求の手続きは二転三転、結局は裁判闘争にまで持ち込まれた。そして二〇一六（平成二八）年二月一七日、台湾内外の多くの予想をくつがえして、勝訴判決を勝ち取ることができた。父の失踪から四分の三世紀近くも経っていた。

勝訴判決の後、まわりから「貴重な体験、記録を後世に残すことは大切だ。本を書いたらどうだ」といわれ、自らも浅学非才を顧みず顛末を書き記そうと思い立ち、その気になって手を付け始めた。しかしいざ書くとなると、そもそもそれ以前に、台湾のことをあまりに知らなすぎるということと、文章力不足に苛まれた。だが使命感を取柄に、愚直にすすめて行くより他はない。

見聞、調査、学習等々を重ねながら、思いつくままに書きなぐり、より深い説得力を求めて先達の文献を頼りに、自分なりの「他力本願」ですすめていった。

本をまとめるにあたって、まず「台湾二・二八事件」と父の失踪の実相に迫ること、そして沖縄、奄美、日本、台湾の狭間で漂流する私たち家族の軌跡という、二つの大きなテーマを設けた。さらに台湾二・二八事件で失踪したほかの日本人のこと、台湾と日本の架け橋となる若者たちの存在など、現在進行形の宿題と展望について考えた。

第一部「台湾二・二八事件と漂流家族」は、本書のもっとも重要な出来事である台湾二・二八事件のあらましと、その事件に遭遇した際の父の痕跡を追った。そこから、事件に遭遇するまでの、時代の荒海で漂流した父と母の家族の歴史を記した。二・二八事件とは直接的な関係はないが、米軍直接占領下の激動する沖縄の世相も、私が「非琉球人」とされたために実際味わった体験をもとに記しておきたい。

父は鹿児島県奄美諸島与論島、母は沖縄県国頭村の生まれである。私は大日本帝国植民地下の台湾基隆社寮島で生まれ、小学校に入る直前からは母の実家のある国頭村で育ってきた。初めて会う人は「沖縄には青山というヤマト姓はないがふるさとはどこ？」とよく聞かれる。その場その場で与論島とか国頭村といい、生まれは台湾、「湾生」です、と応えている。

母と私は、台湾から二・二八事件が起きる直前に佐世保港に引揚げ、鹿児島に二年余り居て五歳の時、沖縄島北部山原（ヤンバル）へ渡って来た。

与論島は周辺の島々からユンヌとよばれる。ユンヌには翻弄された苦難な歴史があることは知っているつもりでいたが、この機に及んで、自らの認識を遥かに超えた、鎖に繋がれた重くて悲しい歴史があることを知った。与論島には住んだことがなく、父の故郷といっても近くてはるか遠い存在であった。とくに島民の「口之津・三池への集団移住」と「満州集団移住」について、沖縄ではほとんど知られていない。これを機会に少しでも知っていただきたいという想いがある。奄美諸島のことと合わせて概略を述べることにした。

第二部「失踪宣告と逆転勝訴」は　父の三三回忌を経て、那覇家庭裁判所で「失踪宣言」が確定した後、その失踪が二・二八事件に遭遇して起きたことを台湾当局が認定補償を認めるまでの経緯である。申請は二度も却下された。しかし却下書を吟味すると、父青山惠先が事件に遭遇して失踪したことは認める内容であった。これは「罪は認めながら罰もされず償いもしない」ということであり、到底承服するわけにはいかない理不尽なことであった。不服申立てを行なう中で浮上してきたのは、日本と台湾をめぐる戦争責任についての認識という「国と国との問題」であった。私は、人権と尊厳、正義をもって法廷でたたかう決意を新たにした。台湾という外国においての裁判である。道は険しい。敗訴を想定した長期のたたかいを覚悟していた。しかし下された判決は、考えてもいなかった勝訴だった。外国人で初めて台湾二・二八事件の犠牲者の補償が認められたという画期的なものであった。ここで台湾当局が示した、個人の戦後補償問題についての人道的なメッセージについて、私たちは重く受け止めなければならないと思う。

第三部「台湾と沖縄の未来へ」は、沖縄・日本の二・二八事件犠牲者について分かっていることをまとめた。新たに発見された資料、証言もある。遺族たちの哀しみは真相を究明して初めて癒やされるのだ。そしてこれまで出会い、接してきた台湾への想い、メッセージをこめた。台湾、沖縄をつなぐ未来のためにさらなる歴史についてもふれた。

台湾二・二八事件は重いテーマである。発信してもなかなか届かないもどかしさがある。昔のことをぶり返してもしょうがないというネガティブなイメージがあるからだろうか。いや、個人的な賠償金目当てと思われているかも知れない、これまでなんども自問自答してきた。しかし、そういう懸念以前に、台湾二・二八事件そのものが、ほとんど知られてないのではないか、周知されるように、犠牲者家族である我々がねばり強く叫び続け、働きかけて行くことが肝心かなめではないか、と考えるようになってきた。


さいごに、この書を天国の父と母に捧げたい。未だ遺骨が見つからない父のマブイはきょうも台湾の海原に眠っている。母には親不孝ばかりしてきたがこれで勘弁してくれないかと思っている。天国のふたりへウムイが届くよう願うばかりである。

目次

目次

## 第二部　失踪宣告と逆転勝訴

### 第五章　失踪宣告　128



### 第六章　台湾の島を歩く　149



### 第七章　法廷へ　172

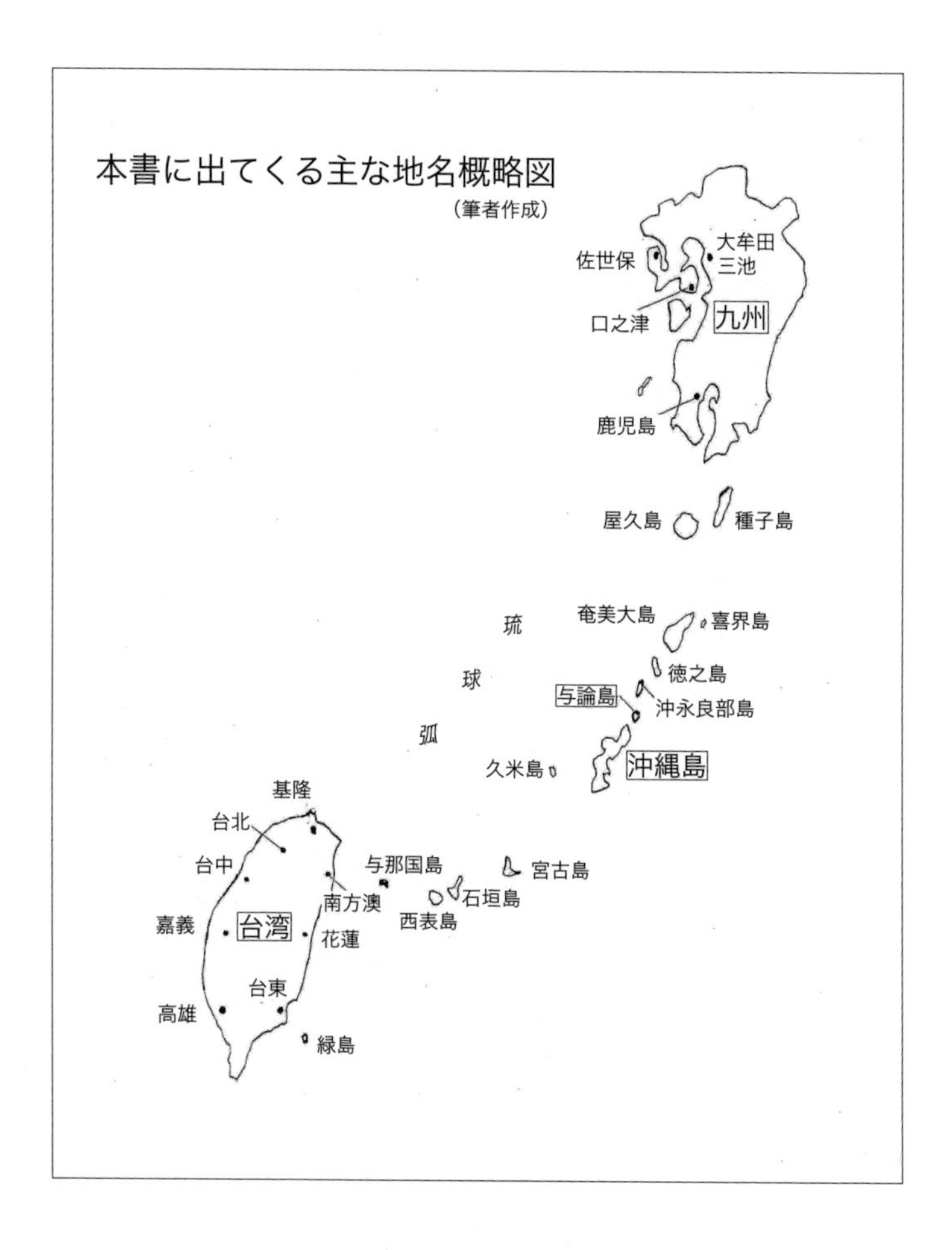
本書に出てくる主な地名概略図
（筆者作成）
大牟田
三池
佐世保
口之津
九州
鹿児島
屋久島
種子島
奄美大島
喜界島
琉
球
弧
徳之島
与論島
沖永良部島
久米島
沖縄島
基隆
台北
台中
与那国島
宮古島
石垣島
南方澳
西表島
嘉義
台湾
花蓮
台東
高雄
緑島

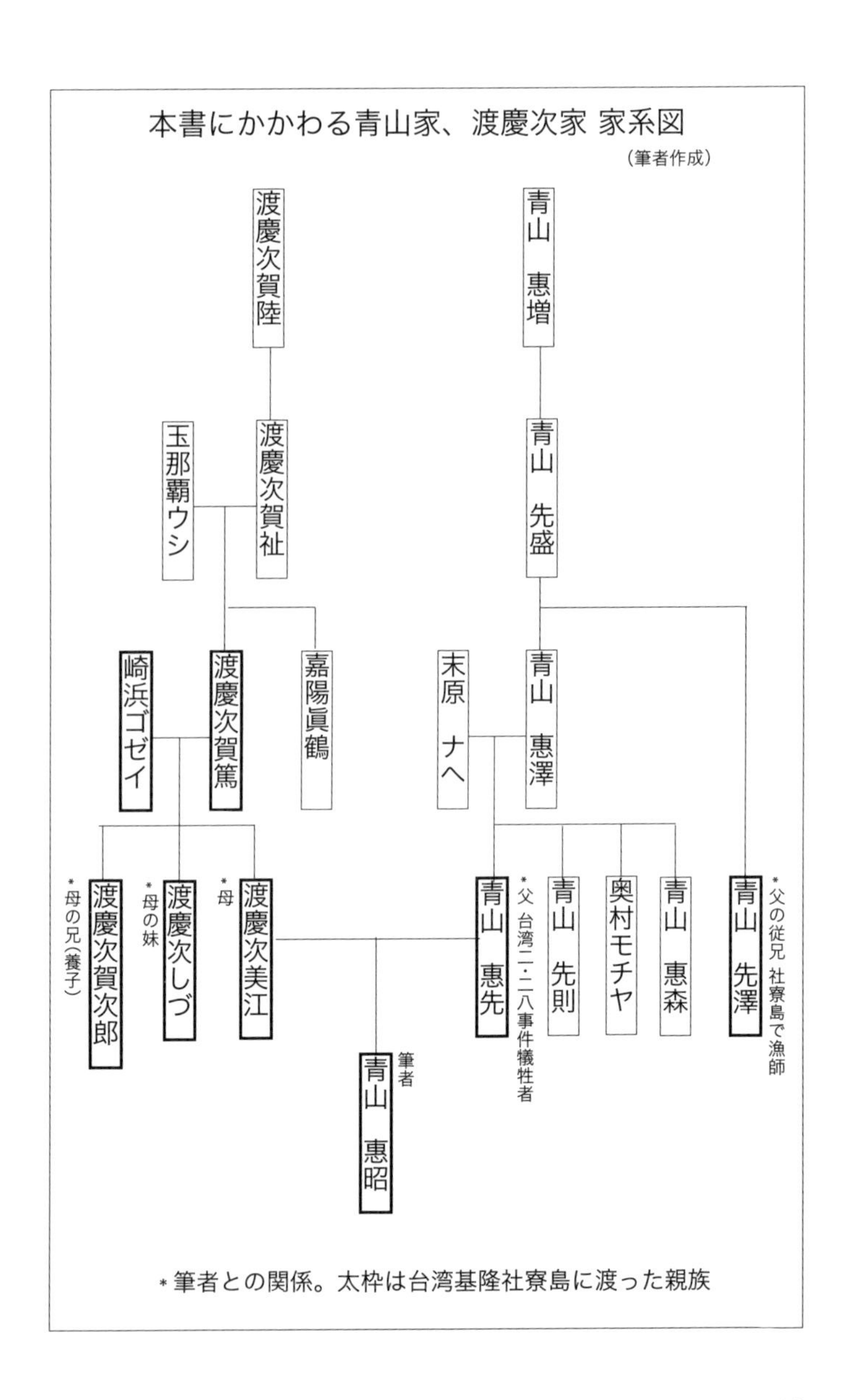

本書にかかわる青山家、渡慶次家 家系図
（筆者作成）
渡慶次賀陸
青山 恵増
玉那覇ウシ
渡慶次賀祉
青山 先盛
崎浜ゴゼイ
渡慶次賀篤
嘉陽眞鶴
末原 ナヘ
青山 恵澤
*母の兄（養子）
渡慶次賀次郎
*母の妹
渡慶次しづ
*母
渡慶次美江
青山 恵先
*父 台湾二・二八事件犠牲者
青山 先則
奥村モチヤ
青山 恵森
青山 先澤
*父の従兄 社寮島で漁師
青山 恵昭
筆者
*筆者との関係。太枠は台湾基隆社寮島に渡った親族

# 第一部

## 台湾二・二八事件と漂流家族

第一章

# 事件発生と父の失踪

清国は一八九五年日清戦争の敗北を受けて台湾を日本へ「割譲」した。台湾は五〇年にわたって大日本帝国の植民地統治下に置かれた。アジア・太平洋戦争で日本が敗戦を迎えた一九四五年、こんどは大陸から来た国民党政権によって強権支配下に置かれた。そして、台湾の人々は怒りを爆発させて総決起の大抗議行動を起こした。対して国府軍は台湾全土で残忍な殺戮を繰り広げて大弾圧を仕掛けてきた。

一九四七年二月二八日

一九四七年二月二八日、台北市で国民党政権に対する台湾民衆の大抗議行動が起こった。台湾全土を席捲した騒動は五月下旬にようやく収束し、鎮圧された。その間に虐殺された犠牲者は、当局の公式発表（一九九二年）では一万八千人から二万八千人にのぼるとされるが、五万人、いや一〇万人という説もあり、あるいは数千人だという研究者もいて、正確な数字は今も分かってない。

「蔣介石（しょうかいせき）によって公表され通説となった事件の原因」について、財団法人二二八事件紀念基金会（著・発行）の『二二八事件の真相と移行期正義』（陳儀深・薛化元編、風媒社［日本語版］二〇二一年）では次のように述べている。（台湾の公的機関はコンマを付けず「二二八」としている。以下、通常の文言には「二・二八」と記す）（［］は筆者注）

二月二七日の晩に、闇タバコ売りの事件が起こり、二八日には暴動に拡大した。この暴動が共産党の扇動によるものだという政府の最も早い公的な指摘は、国民政府主席の蔣介石によるもので、三月一〇日午前に行われた「中央政府国父紀念週」発表においてであった。そこで事件について報告があり、「かつて日本に徴兵され南洋一帯の作戦に参加した台湾人の一部は共産党員であり、今回の専売局による販売の取り締まりに乗じて扇動を図り、暴動を起こし、政治改革の要求を提出した」と述べられた。陳儀から蔣介石への「寅冬亥親電」「支援要請電報」でも「海南島から戻った奸匪が御用紳士やヤクザを利用した」といった叙述が見られ、このような言い方は陳儀の影響を受けたものであると十分に考えられる。各種報告は共産党の介入について、南洋帰りの台湾籍日本兵だけでなく、このほかに旧台湾共産党と戦後、徐々に潜り込んだ中国共産党を挙げている。陳儀は三月六日の蔣介石に宛てた書簡で

「内地の奸党、また台湾に忍び込んできた者たちの目的は、常に機会を伺い、武器を奪い、秩序を乱し、反乱を起こすことである」と述べている。保密局台湾站站長である林頂立の報告はより詳細で、「長く潜伏していた共産党分子が復活し、活動を続け、中国共産党と連絡を取っている。奸党の首謀者である謝雪紅、(略)などは、台中組織人民協会に身を置き、王萬得、(略)などが元台湾民衆党リーダーの蒋渭川(略)などと、後に台湾政治建設協会と改名することになる台湾民衆協会を立ち上げた。二つの会は遥か南北に屹立し(略)力をつけていった。(略)国内では、台湾に入ってくる奸偽が日に日に増えており、(略)台湾共産主義者青少年団などの組織を装って潜伏活動を行っていることを突き止めた。勢力は徐々に増し、有事の際には機に乗じようと、密かに機会を待っていたのである。(二七―二八頁、陳儀深)

そのころ、日本では前年の一九四六年一一月には憲法が制定され、一九四七年五月三日に施行されている。沖縄は日本から切り離され日本国憲法の及ばないアメリカの軍事占領支配下に置かれ、琉球・沖縄出身者の台湾引揚げは、日本本土への引揚げより大幅に遅れて一九四六年一二月にようやく終了した。

五月末の事件収束後も、権力による弾圧は世界最長の三八年間にわたる戒厳令のもとで、国民党政権軍による政治的弾圧である「白色テロ」という時代へと続いた。反共一党独裁政治のもとで事件の真相は覆い隠され、民衆の間には密告と奨励の分断策がとられるなど、語ることも知ることも許されないタブーとされた。まるで何もなかったかのように、人々の記憶は風化し、歴史から消え失せようとしていた。

しかし、人間の尊厳、普遍的な流れを否定する強権政治に抗して、台湾の人々はたたかい続け、一九八七年には、ついに戒厳令解除を勝ち取った。事件の歴史的、政治的な意味や経緯等々については、多くの先達研究者や関係者が、少なくない犠牲をはらって調査・探求を果たし、世に問うてきた。今では、被害者本人や受難者家族がタブーを乗り越えて発言し、真実と真相に一つひとつ光が当てられてきた。

※白色テロ　台湾に置ける白色テロは国民党政権による反体制派、或いは同調者に対するテロリズム弾圧行為。国府軍による「反乱鎮圧法」下で内乱罪は死刑を意味し聞く者を震え上がらせ、本省人（台湾人）に対して相互監視と密告を強制、話すことも聞くことも許されない暗黒支配の時代をつくり上げた。一九八七年の戒厳令解除までの間。政治事件二九〇〇件、連座と拷問一四万人、うち三千人から四千人が処刑された。

## 国民党政権の台湾統治

一九四六年一〇月二五日、中華民国蒋介石（しょうかいせき）総統の命を受けた陳儀（ちんぎ）が行政長官として着任、日

陳儀長官の台湾入り。1946年10月24日（財団法人二二八事件紀念基金会提供）

本軍参謀長の諌山春樹から降参状（台湾表記）を受け取り、台湾総督の安藤利吉との間で降伏文書の調印式が行なわれた。

台湾の人たちはここで一夜にして〝戦勝国民〟になった。五〇年に及ぶ日本の植民地統治から解放され母なる祖国に帰ることができるとして、基隆港と高雄港に上陸してきた国府軍の兵士たちを「青天白日満地紅旗」の旗を振りかざして熱烈に歓迎した。

しかし、台湾の人々は〝解放軍〟の異様なありさまに目を疑った。「祖国」からやって来た兵士たちは、天秤棒に鍋や家財道具を担ぐといった、何とも頼りない貧弱な姿であった。間もなくそれが失望と幻想であることに気づかされ、日々の暮らしは暗転し、ついには生命さえも脅かされるという修羅場に追い込まれて行った。

陳儀長官は、地方行政機構は台湾総督府をそのまま継承したが、人事では高級官僚のポストをはじめほとんどは大陸から来た「外省人」で固めた。日本語を排し中国語（北京語）使用を強要、「再教育」を推し進めた。陳儀のこうした台湾人排除のやりかたは、急速に「本省人」である台湾人の反発を招いた。

大陸における国共内戦で国府軍が苦境に立たされるなか、砂糖や石炭とともに生命線といわれる主食の米が大量に大陸へ搬送され、台湾全土で米価が暴騰して超インフレを招き、民衆の暮らしは疲弊し、街には失業者があふれた。ついには市民デモが起こるなど経済統制は破綻寸前という事態に陥り〝暴動寸前〟といわれる状況にあった。

大陸から来た軍人や官僚による公権力の濫用と汚職、警察の違法行為は毎日のように新聞紙上で報じられ、外省人に対する不信感と軽蔑の感情は、彼らのことを「阿山」とか「豚」と呼ぶほどであった。こうした時代の変遷状況を、台湾人は「犬去りて豚来る」と揶揄した。犬は日本人の例えであった。日本統治五〇年間にわたる屈辱の歴史が終焉し、輝かしい時代の到来を「光復」という夢に託した台湾の人々は、解放どころか、新たな強権支配者が現れ、ふたたび被支配者という立場に押し戻され突き落とされたのであった。当時の状況を『台北市立二二八記念館の常設展示特集』（日本語版、二〇一一年）の第四章から見てみたい。

祖国を十分に知らないとはいえ、台湾の人々は期待に胸を膨らませていました。当時、大東信託の責任者陳◯（原文ママ）は、林献堂や葉栄鐘らと共に「国民政府歓迎準備会」をつくり各大都市で国歌を教え、歓迎の建物を建設しました。重要なのは、国府軍と接収官が台湾に到着する前に、青年たちが自主的に表に立ち、社会秩序を維持し、台湾が無政府状態に陥るのを防いでいたということです。

新旧政権が交代するに際し、過去に政治運動に参加した名士がまた活躍を始めるチャンスが来たという期待がおこりました。また、マスコミ業も過去の植民地時代の種々の制限から解放され、雑誌も次々に発行されました。

しかし、いったいどうして喜びに沸きたって祖国を迎えた、台湾社会の熱意がなくなってしまったのでしょうか?実際、一年余りあとに二二八事件が勃発しているのです。

まず、政治の面では、台湾人はあいかわらず政治権力の外に置かれていました。行政長官公署の21名の高級幹部のうち台湾籍なのはわずか1人、また17名の県・市長のうち、台湾人はわずか3名でした。台湾人には平等な参政権がなかったのです。民政局長の周一鶚は、台湾が県・市長選挙を実施できない原因の一つは台湾人が国語に通じてないことだと言いました。陳儀政府（ママ）は北京語を公職に任用するための条件とし、台湾人が公務に参加する機会を閉ざしたのです。

さらに、国語教育は教師の質が十分でないことや、各省の発音の違いなど、様々な問題によって実施が難しいものとなっていました。しかし、陳儀は頑として祖国復帰後1年で、日本語の新聞・雑誌を廃止することとし、台湾人民が植民統治で受けた抑圧と無念さを無視したのです。それに対して日本は、台湾を占領して42年後の１９３７年に、初めて漢文の新聞を廃止しており、陳儀のこのやり方は明らかに行き過ぎでした。

経済においては、日本政府の専売制度を引き継ぎ、高利益のタバコや酒、製糖などの事業は民間と利益を争いました。経済統制に加えて、役人の腐敗のため、民衆は台湾に来た国民政府の「接収」を「掠奪」といいました。

社会生活では、軍や警察の規律は乱れていましたし、さらに文化の違いに加えて、言葉の壁など様々な要因により、人々は政府に対して強い反感を抱くようになりました。（三六―三七頁）

この文言は、当時の国民党政権のもとでつくられた冊子で、研究者や犠牲者家族からは「事件本来の実相から後退した弱い表現だ」ともいわれている。それでも事態の深刻さは否定しようがなく、このように描かれているのである。

## 事件前夜

こうした国民党政権に対する台湾人の怒りと不満に満ちた深刻な状況と事件の発生は、奇しくも米軍支配下の沖縄の状況と酷似している。

一九七〇年一二月二〇日、コザ市（現沖縄市）で発生した「コザ事件」（「騒動」または「暴動」ともいう）を想起すれば分かりやすい。コザ事件が発生した直前の状況は米軍兵士による交通死亡事故が多発し兵士が無罪放免になるなど、日常的な沖縄人差別、人権無視に対する、自然発生した突発的な大抗議行動であった。深夜の繁華街で米兵による交通事故を巡って米軍憲兵隊の理不尽な事故処理に抗議した群衆に米兵が発砲（人身事故なし）したことから、群衆は怒りを爆発させ、数時間にわたって通りがかりの米人車両一〇〇台を横転させ焼きつくしたのであった。歴史上〝一揆〟など聞いたこともない沖縄で起きたこの事件は、日米両政府を震撼させ動揺させた歴史的な出来事であった。

ここから二・二八事件の全体的なあらましを、二〇一四年発刊の何義麟著『台湾現代史』（平凡社）と、戒厳令解除間もない一九九〇年発刊の王育徳・宗像隆幸著『新しい台湾』（弘文堂）から主に引用、参考にしながら述べる（「台湾全土へ」まで）。

当時、台湾は、タバコ、酒、マッチ、樟脳などは専売として生産、製造、輸送、販売にわたり全てを国府政権が独占し、市井の物資取引は行き詰まっていた。統制経済や役人官憲の不正・腐敗、国共内戦の大陸へ砂糖、石炭、米などの不当な物資廻し等々による物価高騰と超インフレは市民生活を直撃、街の中には路頭に迷う失業者や浮浪者があふれていた。

一九四七年二月二七日夕方、台北市の繁華街大稲埕（だいとうてい）の「天馬茶房」前で、林江邁（四〇歳）が

闇タバコ売りの寡婦を取締まる摘発隊。版画／黄榮燦〈恐怖的検査〉（財団法人二二八事件紀念基金会提供）

雑踏の中を行き交う人々にヤミ煙草を売っていた。その場に軍・専売局のヤミ摘発隊がトラックでやって来て彼女を取り巻き、商品と売上金を無理やり没収した。彼女は「お金だけは返して」と泣き叫びながら許しを乞うたが、銃頭で殴打され突きとばされた彼女の頭と顔は血まみれになった。

彼女の行為は〝違法行為〟とはいえるが、夫を亡くし幼子を抱える彼女にとっては唯一の生活の糧であり、周囲の人々は彼女をとがめることはなく、他にも老若男女数人が路頭売りで並び、衆目が許容する、なかば公然たる黙認行為であった。

その様子を目の当たりにしていた通りがかりの市民は、一様に怒り憤慨し、摘発隊を取り囲み抗議した。慌てた摘発隊の一人が銃を発砲、市民一人が射殺され、抗議する群衆は、みるみるうちに膨れ上がった。

形勢不利と見た彼らはトラックで一目散に専売局へ逃げ去ってしまった。群衆は警察署に押し寄せ加害者を逮捕せよと要求したが、軍と警察は隊列を組み武装して拒否し続けた。群衆は犯人をかくまった憲兵団の建物を取り囲み、その夜の台北の街は異様な重苦しい雰囲気に包まれた。

## 二・二八総決起

二月二八日早朝、人々の怒りは夜を徹して収まらず、台北橋あたりや筋々からドラを鳴らしノボリをかざして三々五々寄り集まり、方々から群れを成して合流、大きな流れとなってデモ行進が始まった。商店街では商店主や通りすがりの人々に賛同を訴えながら専売局台北分局に集結した。ここでは犯人の厳重な処罰を要求したが、拒否される。しかし群衆はひるまず行き先を変更、行政長官公署（今の行政院）をめざし、昼過ぎには四、五〇〇〇人にふくれ上がり、大抗議行動となって、スローガンを声高に叫びながら勢いを増していった。

群衆は長官公署に到着、陳儀長官に抗議しようとしたが、突然公署ベランダから銃声が鳴り響き機関銃掃射がはじまり、多くの死傷者がでた。後々、この凶行こそが事件の成り行きを収拾不能にした主要因ともいわれている。

激怒した民衆は、専売局倉庫から酒やタバコを投げ出して焼き払い、街頭では通りがかりの外

専売局を焼き討ちする群衆（台北二二八紀念館提供）

省人を殴打するなど騒動は街中に広がり、この時点で陳儀長官は台北市に臨時戒厳令を発布した。群衆の怒りは火に油を注ぐように増幅し、昼二時過ぎには新公園（現在の二二八和平公園）に向かい台湾放送局（現在の台北二二八記念館）を占拠、マイクを奪い「台湾人は暴政に対して今こそ総決起しよう」と台湾全土へ向けて総決起を呼びかけた。

## 台湾全土へ

台北市繁華街で発生した民衆による大抗議行動は、またたく間に台湾全土をあげての未曾有の政治的事件へ展開していった。事件発生の翌日、深刻な事態に直面した台湾人の台北市参議員ら民意代表は、陳儀長官に「二二八事件処理委員会」を立ち上げるよう申し入れ、その場で合意。双方は四つの処理原則を決め陳儀長官が発表、三月三日戒厳令は解除された。

そのときの四つの合意事項は、①参加者の責任追及なし　②逮捕者を全員釈放　③本省人、外省人問わず死傷者には補償する　④善後処理のため処理委員会をつくり民意を受ける　ということであった。

このような陳儀長官の〝柔軟〟な対応により、事件は早々と収束するかのように思われた。しかしそれは、台湾人代表らの目をくらませる戦略的取引であった。

その間、抗議行動は燎原の火の如く燃え広がり中南部へ拡大。三月四日、各地県市で組織された処理委員会はさらに各地町村でも組織され、郷や鎮（地方行政単位）の支会としてほぼ全島でつくられていった。

台中市や嘉義市の急進的な青年・学生組織は、和平交渉を排して武力闘争を主張。結局、処理委員会の方針通りには行かなかった。その一団は地域の有力者や市民を抱き込んで独自の権力機構を模索、政治改革を要求して武装蜂起した。台中では謝雪紅（戦前からの台湾共産党員）らの指揮のもと青年学生ら三、四〇〇人が決起して「二七部隊」が編成され、国府軍の武器を奪い取り、嘉義では国府軍飛行場でも激しい銃撃戦が繰り広げられた。

高雄市では、大陸からの増援軍上陸前の三月六日の時点で、現地司令官の独断により鎮圧が始まっていた。台南市では市民の抵抗は収まらず反撃が高まり、日本人を父に持つ弁護士の湯徳章（日本名・坂井徳章）等々が立ち上がり処理委員会がつくられ、大きな抗議行動が展開された。

三月六日、陳儀長官は大陸の蒋介石総統に援軍急派を打電。蒋介石は「共産主義者の扇動だ」と軍隊派遣を即断。一方、台湾人リーダーたちは事件処理委員会の全島的な成立大会を開催した。三月七日、処理委員会は「三二ヵ条要求」を通過させ、「台湾に高自治をしき、省長以下各処長や司法官に台湾人起用、言論、出版、結社等の基本的人権の保障」をうたって要求した。その間、陳儀長官は妥協するそぶりを見せ懐柔するだけであった。

三月八日、ついに大陸から国府軍が基隆（キールン）と高雄に上陸し形勢は逆転、抗議活動はまたたく間に鎮圧されていった。台中の二七部隊は一三日には解散を余儀なくされ、青年学生や著名な画家・

陳澄波（嘉義市参議員、今の東京芸術大学卒業）をはじめ、主導的な人士たちが虐殺され、ことごとく壊滅的に鎮圧されていった。

事件収束後について、『二二八事件の真相と移行期正義』は包括的にまとめ、次のように述べている。

> 二二八事件が一段落して後、国民党政権が構築した非常体制（権威体制）は日増しに強化され、言論と思想の自由に対する弾圧によって、事件の悲惨な状況と、長期の戒厳や白色テロの威嚇の犠牲者あるいは犠牲者の家族は大多数が無実の罪の心の奥深くにしまいこむことになり、二二八事件を公開で議論することはなく、まして二二八事件の名誉回復などなおさらであった。事件中に亡くなって遺族が埋葬した者でも、長く戸籍異動を届けることはなく、長年も経ってから死亡や失踪を届け出た。
>
> 全体として言うならば、一九五〇年代から海外では二二八事件の紀念活動が既に行われていたが、台湾内部では二二八事件は台湾エリートに重大な被害を与えただけではなく、台湾社会をも恐怖の高圧的な雰囲気のもとに閉じ込め、これ以後二二八事件は台湾の政治的タブー［に］なり、主要なマスコミはほとんど事件について言及せず、教科書にはいっさい載らなかった。（三八二頁、薛化元）

このように二・二八事件は台湾の戦後史のなかで長い間タブーとされる出来事となり、台湾の人々のなかでも話すことがはばかれるものだった。父・青山惠先はこのような歴史の闇に葬り去られようとした事件に巻き込まれていたのであった。

## 三・八基隆上陸

青山惠先はこのとき、徴兵されていた戦地から日本にもどり、家族がいると思われた台湾へたどりついていた。しかしそこに私たち家族はいなかった。その経緯については、第一部第二章以降で詳しく述べる。ここでは、惠先が二・二八事件に遭遇した基隆市における事件の実態についてまとめて、この地でついえた父の足どりを可能な限り迫っていきたい。

三月八日午後、第四憲兵師団と第二一師団を載せた国府軍艦船（米軍提供）が、敵前上陸さながらの威嚇砲撃を打ち込みながら基隆港に上陸、近代兵器で武装した精鋭部隊による無差別大虐殺が始まった。三月九日、陳議長官は台北市と基隆市に臨時戒厳令を敷き、三月一〇日には、あらためて全島に向けて戒厳令発令。処理委員会の解散を告げ関係者の一斉逮捕を開始。南京の蒋介石はラジオ放送で「暴動は共産党の扇動によるもの」と断じた（台湾には伝わらなかったといわれる）。国府軍部隊は基隆港に上陸するやいなや、すぐさま市民に向けて機関銃掃射を始め、手あたり次第、皆殺しの様相で襲いかかってきた。
当時、大陸にいたアメリカの中華民国駐在スチュアート大使は次のように伝えている。（　）は筆者。

三月八日、基隆にいた外国人観察者（新聞記者）は、真昼に基隆市の街路は特定の目標または人物にむけられてない機関銃の砲火によって突如掃射されたと述べている。約二千の警察官が上陸し、米国陸軍のジープを含む軽装備の軍隊約八千人がこれに続いたと推定している。（略）三月九日、広範囲にわたる、しかも無差別の殺戮が始められた。（略）台湾人の青年たちがじゅずつなぎに縛られ、銃剣の先で突かれながら町はずれの方へ連れていかれ（略）三月十四日と十五日には多数の死体が基隆の港内に流れ込み始めた。
（田中直吉・戴天昭著『米国の台湾政策』一七三頁、一九六八年）

基隆におけるその模様を、筆者も参加した「二〇一四年二二八事件六七周年紀念・基隆市在地的追思活動」の集会で配られたチラシ（A４版）「記憶・基隆大屠殺、１９４７・３・８」からみてみたい。

一九四七年三月八日午後、蒋介石に命令された国府軍が基隆に上陸、兵士は上陸と同時に岸壁で貨物を待つ人まで機銃掃射、出遭う人ごとに殺害し、まるで戦場のようだった。基隆の港湾・埠頭、河川、運河等々至るところに死体が横たわり、一ヵ所に二〇〇体ぐらいの場所もあった。

艦船から降りた軍隊は港湾埠頭の西二、三号桟橋倉庫の前で集結し、市街地へ進軍、まるで敵との作戦行動のようだった。鉄線で手のひらと足首を貫通させ、何人かの一列集団にして銃撃、あるいは頭や背中を銃で撃ち海に蹴飛ばした。また、銃殺ではなく体に重石を縛り付けて海に放り投げた。このように基隆での行為は、他の地域では見られないほどの最も残酷で悲惨な行為であった。

虐殺は五月二七日まで続いた。名前が判明できたのは一一〇人、判明できない死体がほとんどであった。主な場所は基隆駅、港務局、市文化センター、田寮運河、市場、公園、月眉山、三沙湾、社寮島、暖暖、八堵駅、(略)、等々。死者は、港湾、船舶、漁民、炭鉱等の中下層の労働者が多かった。

(翻訳：呉寰)

一九九二年、当局行政院が発表した「二二八事件研究報告」によると、三月八日に基隆港に上陸した国府軍が一六日までに虐殺した犠牲者数は二千人余におよぶという。

## 捕まったひとりの琉球人とは

次に社寮島事件の採訪記録書『基隆雨港二二八』から見ていく。

一九九三年、張炎憲、胡慧玲、高淑媛の三氏が犠牲者家族から直接聞いた採訪記録がある。その中から、劉林巧雲（故人、当時八七歳）と劉楊阿茶（同、七六歳）の二人の婦人の話（一六七〜一七七頁）のなかに父・青山惠先と思われる文言がある。（翻訳：呉寰）

劉林巧雲　私は劉申土の妻で八七歳、事件で亡くなった劉新富は義弟です。八尺門（社寮島入口周辺）の新発鉄工所と言ったら、基隆の人みんなが知っている。その日は旧暦二月一九日（西暦三月一一日）。劉家の船寮（造船所）に国府軍の兵隊が来て修理中の船を奪い取ろうとした。それは人のものだと断ると、義弟の劉新富が捕まえられ連れ去られた。その時、夫の劉申土は山に逃げたが、捕まえられ痛めつけられ三日後にひどい有様で帰って来た。

そして、一一人が両手を背中に縛られて砲台（社寮島山腹）の方へ連れ去られ、うち二人は「保証金」を払って釈放された。一一人の中で私が知っている中には、ひとりの琉球人がいたのを覚えている（傍点筆者）。彼らは、旧暦二月一九日に連れ去られ二日後の旧暦二月二一日（西暦三月一三日）には殺されたと聞いている。私ら劉家は劉新富を探し回ったが見つけることは出来なかった。

## 三、劉楊阿茶

我名叫劉楊阿茶，是劉新富的妻子，一九二二年出生。劉新富是新發鐵工廠的老闆，修理漁船，現在鐵工廠的招牌還在，別人租去用。其實大伯劉中土才是老闆，但他不識字，都是我先生劉新富在做，因爲他會講日語。

劉新富是日治時代高等科畢業。我嫁過來時，劉家是大家庭，和大伯一家人一起吃飯，到現在，戶口簿本還全都放在一起。

新發鐵工廠除了造船、修船之外，也租船去捕魚。二二八那年我才二十六歲，在家煮飯，外面的事不太知道。我大嬸很能幹，她還會管理工廠的事情。

那天事情是發生在八尺門那邊，就在金銅礦務局的旁邊，有五分仔車小鐵路通山上的礦場。我丈夫劉新富去船寮，被兵仔抓去的時候，有一個琉球人也同時被捕。另外，吳北王、吳明新父子在吃中飯，也被抓走了。

事情發生時，我在宜蘭。因爲先前我正好懷孕，大家說，時局很亂，妳肚子那麼大，躲一躲吧。

劉楊阿茶：戶政事務所的人說，報失蹤沒關係，事情我都還記得，我來證明也可以。（宋隆泉攝）

社寮島事件　一七五

劉楊阿茶証言　『基隆雨港二二八』175頁［太線は筆者による］（財団法人呉三連台湾史料基金会提供）

劉楊阿茶　私は劉新富の妻、七六歳です。夫は新発鉄工所の経営者と言われたが本当の経営者は、かなり歳が離れたお兄さんの劉申土だった。義兄は字が読めなかったので、日本語ができて日本時代の学校で高等科を卒業していたので主人が経営者と思われていた。劉家は造船修理だけでなく漁船も持っていた。

二月一九日（旧暦、新暦三月一一日）、夫は五分仔車（軽便鉄道）の八尺門駅のとなりにある新発鉄工所で、国府軍の兵隊に琉球人と一緒に捕まり連れて行かれた（傍点筆者）。その時、私は妊娠中で宜蘭（台湾東北部）の実家にいたが、夫が国府軍に捕まれたことを聞き、あわてて、どうして、どうしてと気が動転した。

二月二一日（旧暦、新暦三月一三日）、知り合いの要塞司令部の人に聞いたら、冨さんは殺されたと聞いた。その後、海に浮いている死体があると聞いて家族が探しに行ったが人違いだった。どうして私の夫が捕まえられたのか今でもずっとわからない。さいきん（基金会が創設された一九九五年）二二八事件の被害者登録がはじまり、私の代わりに娘が役所に行ったら、私の夫で娘の父親である劉新富の死因を聞かれその通りの説明をしたとのこと、娘は事件当時、夫がいなくなった時、私のおなかにいた子である。

新発鉄工所・劉一家の二人の婦人の証言である。造船所で騒ぎが起こった時の情景が生々しく語られている。そしてこのなかに出てくる「ひとりの琉球人」こそ、私の父である。この確証を得るまで長い時間がかかった。二つの文書化された証言は、犠牲者・青山恵先の事件遭遇の現場を物語る有力な証言とされ、後に認定成立に大きな役割を果たすことになる。なぜ国府軍は琉球人である父を連行していたのだろうか。

## 事件遭遇

父・恵先の事件遭遇については、さらに二つの証言を得ることが出来ている。直接私が確認したものである。

まず恵先と一緒に襲われ一瞬の逃避で九死に一生を得た与那国島出身の小橋川長助（通称「グラー」とよばれた）の証言がある。小橋川は恵先が船主の息子と一緒に拉致連行された状況を、事件から二年半後の一九五〇年、与那国島から石垣島を経て人づてに、沖縄国頭村で暮らしていた母・青山美江に伝えてきた話である（詳細は第一部第四章）。

そしてもう一つ、国府軍から「留用人」として基隆に滞留されていた恵先の二つ歳上の従兄の青山先澤（さきざわ）の証言がある。留用者とは、敗戦国日本から連合国側の中華民国の支配下になった台湾に留まって、戦後の〝国替わり〟とでもいうべき引継ぎ業務に、国民党政権当局が必要とされる人材を日本国へ帰還させず留め置くという、いわば「抑留徴用」であった。先澤は基隆社寮島における漁業生産に継続就業させられ、培ってきた知識と技術を台湾人に伝授させるための人材として強制されたのであった。漁業関係の留用者は、基隆には十数人はいたという。

先澤は台湾人船主の幡生號という漁船の船長として雇用されていた。大漁旗を掲げて数日ぶりに入港したところを、突然国府軍に襲撃された。

そのことを彼は、二〇〇七年の「二二八事件六〇周年記念追悼式典」に参加したとき（当時百歳）、記者会見や台北二二八記念館、社寮島千畳敷海岸など、行く先々で実体験を語っている。

先澤は拘束状態から釈放された後、社寮島八尺門漁港で出会った知人らから、「鹿児島から渡って来たばかりの恵先が国府軍に捕まれ連れ去られた」と聞き衝撃を受けた。お互い日本軍に徴兵され、フィリピンとベトナムの地へ戦争に駆り出され、四年も会ってない恵先が基隆に帰っていたことは知らなかった。ましてや、いきなり国府軍に捕まったということは、とても信じられないことであった。どこかに囲われてはないかと島中、街中、海山を探し回り、多数の遺体が見つかったと聞けば現場を訪ねたりしたが、知り得たのは絶望的なことばかりであった。

目隠しをして両手を後ろで縛り、手のひらを針金で貫通させて、足首を針金で貫通して数人手足もろとも数珠繋ぎにし、機銃掃射で海中へ落とす。射殺した遺体を収容させず数日も放置して見せしめにする。捕まえたあと縛りつけて街中を引きずり回す。生きたまま重石を体に巻き付け、あるいは麻袋に放り込んで海へ投げ込む等であった。

先澤は、一九九三年「青山恵先失踪宣告申立て」の際、証言者として那覇家庭裁判所の書記官の聞き取りに応じた模様を正確に台湾の人々にも話したのだった。

基隆埠頭の虐殺場面を描いた絵画（台北二二八紀念館にて筆者撮影）

父・恵先の事件遭遇については、以上のような断片的な証言と国府軍の当時の基隆襲撃の実態資料から判断したことである。

小橋川長助と劉楊阿茶の証言はほぼ一致している。証言をすりあわせると、小橋川長助の言う船主の息子というのは間違いで、経営者劉申土の弟で劉楊阿茶の夫・劉新富であることがわかる。劉楊阿茶の証言から察するに劉新富は、日本語が話せて高等科卒でリーダーシップに富んでいたこともあって、国府軍の理不尽な振る舞いに毅然と立ち向かったのであろう。結局は何らかのつながりで、青山恵先と劉新富の二人が拉致連行されたと思われる。

劉楊阿茶の義姉・劉林巧雲はより具体的に、「琉球人一人と、両手を背中に縛られ三月一一日に社寮島砲台跡に連れ去られ、一三日に殺された」と証言している。

殺害された場所は、砲台跡から東側へ下りていった千畳敷海岸だったといわれている。

現在、和平橋たもとの旧八尺門駅舎の鉄骨残骸のすぐ隣には、あの新発鉄工所の跡地に「振発」と書かれたさびれた屋根看板の建造物があって、私は、二〇一九年一一月、基隆市原住民会館を訪ねた折、その裏手にある「振発」の敷地を初めて訪ねた。

目の前には八尺門水道が横たわる緩やかな坂道を下りて行くと、ワイヤーで遮られた間口の広い入口で鎖に繋がれた二匹の大きな番犬が吠えながら出てきた。はたと立ち止まり、犬にも劣らぬ大声で「ごめんください」と叫んでみたが、人の気配が全くなく、引き下がるより他はなかった。

その後私は何度もこの地に訪れている。追悼式典、裁判、平和集会、個人的な追悼の旅……。砲台跡から東側に降りて処刑場とよばれたあたりに来るたびに、記憶のない映像が甦ってくる。今、父のことを記憶する人は沖縄にはいない。歴史の風化とあいまって、蜃気楼のようにゆめいて、消えては現れ、そしてまた消えて行く。初めての台湾行きとなった二〇〇七年当時は、母と先澤叔父が気丈に父の記憶を甦らせてくれた。それから三年後に母が、六年後に先澤叔父が逝ってしまい、直の話は途切れてしまった。

台湾へ足を運び事件の動機、背景、経過等々の実相に迫って行くにつれて、父は、なぜ事件に遭わなければならなかったのか、台湾人に間違えられたのだろうか、母が言うようにヤマト入れ墨があって元日本兵と思われたのだろうか等々、思考は迷走して行くばかりであった。

ここでまとめた台湾二・二八事件に巻き込まれた父の消息に関する証言や記録は、一九九三年、裁判所で父の失踪宣告をするための調査から始まり、沖縄、台湾での様々な出会いのなかで、ようやく浮かび上がってきたことだ。父の失踪の真実を知りたい。その思いから、奄美与論島生まれの父の半生だけでなく、その一族がたどってきた歴史、そして沖縄国頭村生まれの母の一族のことを、親せきの証言を何度も確かめ、あるときは現地を尋ね歩いた。そこから浮かび上がってきたのは、私にとっては想像だにしなかった歴史の断片であった。

# 第二章　与論島生まれ

なぜ私は「湾生」となったのか。それは父と母が台湾で出会い家庭を持ったからである。ではなぜ二人は戦前の台湾にやってきたのか。私は父の失踪宣告のための手続きで、父の消息について調べるうちに、一三歳の少年が島を出て旅だった先には、幾多の漂流があったことが浮かび上がって来た。

## 年期奉公

与論島は、鹿児島県奄美諸島の最南端に位置し、沖縄島最北端の国頭村辺戸岬から二八㎞の至近距離にあり、九州島から台湾島までつながる琉球弧の臍（へそ）のあたりに浮かぶ小さな島である。現在は行政上、鹿児島県大島郡与論町という。一六〇九年の島津の琉球侵攻で、与論島以北の奄美諸島は琉球王国から分断され薩摩の直接支配下に入った。与論島民は、それ以降の二百数十年、薩摩の過酷な抑圧と収奪の時代を地に這うように生き抜いてきた。その環境は、明治維新という「新時代」を迎えてもそう変わることはなく、大日本帝国の最末端で前近代的な孤島苦に喘いでいた。島民や他の奄美諸島、沖縄の人々は与論のことをユンヌとよび、土地の人をユンヌー、またはユンヌンチュという。

青山恵先は一九〇八（明治四一）年九月二六日、鹿児島県大島郡与論村字麦屋の貧しい半農半漁の家で、父恵澤と母ナヘの三男一女の末子として生まれた。

一九二一（大正一〇）年、一三歳の時、与論尋常小学校を卒業、高等科へは行かず鹿児島へ渡り小さな造船業と漁業を営む「親方家」に年期奉公として仕えた。年期奉公の拘束期限を終える二〇歳まで、時にはカツオ漁等で山川港や糸満ウミンチュ（海人・漁師）がいたという甑島で漁をしていた。その後の二、三年は九州西海域や有明海あたりを行き来していた。

青山惠先(Aoyama Esaki)38基隆市社寮島琉球村 漁民


二二八国家記念館に展示された青山恵先遺影（財団法人二二八事件紀念基金会提供）

三歳年上の兄先則は、鹿児島へ渡った弟・恵先のことを、沖縄の「糸満売り」と呼ばれる年期奉公と同じようなことであったという。もしかすると、親方というのは鹿児島の甑島や山川あたりへ渡った糸満人だったかもしれない。「糸満売り」は、一二、三歳余りの貧困層少年が二〇歳ぐらいまで「前借制度の長期雇用として身売り」されることで、与論島でも事例が多々あった。公的にも容認されてきたこうした「民間制度」は、沖縄では戦後の米軍占領支配下、一九五五(昭和三〇)年、琉球政府労働局によって禁止された。

恵先の父である恵澤は、明治前半期の与論島でサトウキビ栽培の農家として、あるいはサバニ(クリ舟)を漕いで漁を営み細々と暮らしていた。その妻ナへは同じ村の農家・末原家から嫁いで来ている。

四人きょうだいの長兄恵森と姉モチヤも、恵先と同じように小学校を出るとすぐ島を出て行った。次兄の先則だけは高等科を出て島に留まり、ウミンチュを生業として家を守りつづけた。恵森は大正の初めごろ、大牟田の三池炭鉱へ渡ったが、生涯にわたって郷里には帰らず、佐賀県唐津へ移住し、かの地の女性と結婚しているが、その後の消息はわからない。

長女のモチヤは、奄美大島の名瀬市へ大島紬の修行に渡り、織子として徳之島出身の奥村という人と結婚し所帯を持った。暫くして夫を病で亡くし一人娘を連れて郷里へ戻り、そのまま与論島に住みつづけた。

恵先が生まれた明治末期、山も川もない平べったい与論島は、水は天水と湧水、薪は枯れたソテツとアダン葉に頼り、島の産業といえば細々とした畑作農業と沿岸漁業であった。基幹産業はサトウキビ栽培・黒糖づくり、漁業はカツオ節加工がわずかにあるぐらいで自給自足すら叶わぬ三食イモという暮らしぶりであった。尋常小学校を出た少年少女たちの多くは高等科へ進めず、島の存続と家族を守るために、幼い自立を強いられ、見通しのないまま「新天地」を求めて島を出て行った。

## 鹿児島から大牟田・三池へ

父・惠先の一三歳から二〇歳までの鹿児島時代の話は、ほとんど聞いたことがない。それ以降の話は、次兄の先則や従兄の先澤、あるいは与論の親戚筋から聞いた話だ。

惠先が鹿児島にいた一八、九歳ごろのことを、鹿児島で紬織子をしていた従妹の青山初枝が母美江と私に語ったことがある。「惠先兄さんは鹿児島で奉公していたころ、有明へ行き大牟田に立ち寄って惠森兄さんに会っていた。また、惠森兄さんは一度だけ私に手紙を送ってきたことがある」と回想し、私と母に住所らしいメモを渡したことがあった。確か唐津とか大和という地名が記されていたと記憶している。初枝がいう通り、与論島に残った次兄の先則も「惠森兄は一三で島を出て行った。島には一度も帰ったことがない。いっとき大牟田で惠先と一緒だったと聞いている」という。

数年前、与論町役場へ行き青山家の戸籍（除籍）謄本を見ることができた。惠森は一九二八（昭和三）年、佐賀県唐津で当地の人と結婚している。与論長屋の名簿や戸籍には足跡が見当たらず、三池にいたはずの一六年間は戸籍上与論にいたことになっている。惠森の行方は与論の青山家や親戚とは今もつながらない。

祖母青山ナへの弟、末原行勝の場合は、第三次あたりの移住（明治末期）で島原口之津へ渡ったとされ、所在が明らかである。一九一〇（明治四三）年、口之津から三池へ再移住した四二八人の名簿のなかに夫婦二人の名が明記され、数年後には三池から郷里に帰島している。名簿にはあと二人の青山や末原など親戚らしい姓名が見られる。

## 与論島のこと

父惠先とその家族の過去をたどっていくうちに、明治・大正期の「与論島民の口之津・三池集団移住」という史実が、私の前に現れてきた。さらにもう一つ、昭和期の集団移住といわれるアジア・太平洋戦争末期における中国大陸への「満州開拓団」という過酷な歴史を前にして、私は幾度となく立ちすくんだ。

与論島のこうした史実を知ったのは、父の失踪宣告手続きをしていた一九九三（平成五）年、五〇歳の時であった。遅きに失したと思いながら自身のルーツを手繰り寄せ、子や孫たちに見えるように光を当てて行きたい。そして後に台湾へ渡り、思いもよらぬ最期をとげた父の足跡の背景をたぐり寄せようとした。

まず与論島の口之津・三池集団移住について、多くの先達から見聞してきた特徴的なことを引用、再構成して、その実体に近づいてみたい。

明治三一年（一八九八）七月、与論島と沖永良部島を襲った暴風雨の損失は未曾有のものであった。特に与論島における被害はひどく、（略）前年に沖縄から名工を呼んで造った、大きな柱や桁を使って建てた長さ十五間、奥行き五間の学校校舎までが倒壊した。（略）民家は推して知るべしであった」、「さらにその後の旱魃と悪疫が追い打ちをかけ、常食である芋が不足し、島民はソテツで飢えをしのいだ。しかし、そのソテツの実の毒抜きも水不足のために充分にできないまま食べ、あるいは待ちきれずに食べて中毒死するもの、餓死するものが続出した。（しかも疫病が発生し）一家全員が罹病し、餓死した子供を墓場へ葬る力さえなく、岩陰にこも（菰）にくるんで捨てた者もあったと伝えられる。

（『与論町史』「第三編・第七節口之津への集団移住」三四六頁）

明治三一年の台風による大飢饉を契機に、黒潮とどろく太平洋上の孤島を後にして、第二の故郷建設の熱意に燃えて、長崎の口之津に集団移住して六十余年、その後明治四二年、三池港の開発に伴い大牟田へ移り港湾労働者として、三井鉱山の生産機構の中に組み込まれて五〇有余年になる。先輩たちの歩みは一口に云って、人種的偏見と差別に対する苦闘であった。（略）与論人であることをひた隠しに隠して生きねばならなかった。かつての苦悩が今なお心の奥に刻み込まれている。

（大牟田・三池与論会編『与論島から口之津へ、そして三池へ』）

三井資本がしつらえた、口之津の与論長屋における生活は、「世ニ慣レザル土百姓」（一九〇〇年三池炭鉱事務長文書）とさげすまされ奴隷同然の現実であった。「ただ働きに近い低賃金と激しい肉体労働、厳しい生活環境、そのうえ言語・風習の違いから『ヨーロン、ヨーロン』と呼ばれてバカにされ、差別され」「故郷への送金どころか貯蓄も出来ず、島で募集するとき聞かされた話とは全く条件が違う」ということであった。与論出身でつくる共同墓地を運営する「與洲奥都城会」会長が保管していた会社側がつくったと思われる資料がある。三池へ再移住した一九一〇年（明治四三年）から一九一九（大正八）年までの九年間にわたって、帰島一五人、逃亡及び行方不明者九二人、出稼ぎ三九人もいたという。これは、如何に暮らしづらい生活環境であったかを物語っている。

（與洲奥津城会編『三池移住五十年の歩み』）

アジア・太平洋戦争の日本敗戦後、与論長屋と三井資本の関係は基本的には変わらなかった。

大牟田の与論の人々は大戦後の混乱期、一部分散したとはいえ戦後も石炭産業の大牟田市には、かなりの与論出身者が居住し、地域や職場において戦後民主主義の諸権利を確立して行く中でたくましく生き抜いていった。

一九四六（昭和二一）年二月、敗戦後の激動の中から立ち上がった三池炭鉱の労働者は、与論出身の労働者も含めいちはやく三池炭鉱労働組合をつくった。しかし、資本側の攻勢も強まりレッド・パージが吹きあれ労働組合は後退を余儀なくされてしまった。たたかいが高揚から後退へ向かっている時、島民たちは、一九四七年、心の支えを求めて結集し「与洲奥都城会」という組織をつくり共同墓地の納骨堂をつくった。

（大牟田・荒川与論会編『与論島から口之津へ、そして三池へ』）

## 口之津、三池を訪ねる

こうした事実を知るにつれ、与論島民が移住した口之津と三池を訪ねたいと切望していた。そしてその機会がやってきた。きっかけは、奄美大島の笠利出身で主に鹿児島本土で教職に就き、定年退職後、沖縄に移住してきた南哲夫さんとの出会いであった。南さんはまたかつての抗日戦争中、中国の作家魯迅の最後を撮影した報道写真家の沙飛について調査研究している人物だ。与論島と口之津・三池の話から南さんは与論島出身者の堀榮吉さんのことを教えてくれた。そのとき、手の届かない遠い過去のことが目前に迫ってきた。南さんは歴史教育者として、かつては鹿児島県歴史教育者協議会の事務局長を歴任するなど幅広いネットワークを持つ人物である。二〇一八年九月初め、南さんには沖縄からの同行を、堀さんには現地の案内を懇願して快く了解していただいた。

小雨降る久留米駅、背筋を凛と伸ばした堀榮吉さんが迎えに来てくれた。八五歳とはとても思えない、なんと大牟田からボンゴ車を運転して来られたのだ。ひと昔前からのお付き合いみたいな人懐っこい好々爺である。

大牟田へ着くと、まずは三池炭鉱宮浦坑跡と石炭記念公園。「炭坑節」で有名な、高さ三一mのレンガ造りの煙突が目を引き、有明海の地底へ延々と続くトンネル坑口には人車のプラットホームや石炭採掘の様々な材料が置かれて生々しい。煙突の近くには、「中国人受難者慰霊碑」が建ち、三池炭鉱に連行された中国人二四八一人が強制労働を強いられ死亡した六三五人が祀られている。墓碑は堀さんたち大牟田における日中友好運動のなかで建立されたという。

県立三池工業高校の外塀は、かつての刑務所塀「旧三池集治監外塀」である。文化財として当時のまま存在、高さ五mの重厚なレンガ塀から囚人たちの呻き声が聞こえてきそうだ。朝夕二交替、頭からマントを被せられ手足を鎖で繋がれて近くの宮原坑まで歩かされ地底現場で鎖を解かれ奴隷同然に扱われたという。

三池を象徴する「世界文化遺産・明治日本の産業革命遺産、三池炭鉱関連遺産資産」に指定された三か所を回ることにした。「三池炭鉱専用鉄道敷跡」「三池炭鉱宮原坑跡」、少し離れて県境にある熊本県荒川の「三池炭鉱万田坑跡」。総延長一五〇㎞の炭鉱専用鉄道敷設、高くそびえ力ずくで組み伏せるような鋼鉄製の竪坑櫓（やぐら）、図太いワイヤを巻き上げる直径三ｍもある鋼鉄製の歯車巻上機等々を目の当たりにする。

今から一三〇年前、このような巨大施設と高度な技術力があったのか。それを推進する資本と政治権力の大きさ、迫力と圧倒的な存在感にただただ驚くばかりである。大日本帝国の海外侵略のバックボーンとしての国策産業に位置づけられていたのである。そしてそれを可能にしたのが、現地住民はもとより、中国、朝鮮からの強制連行、囚人動員、そして与論島などの島々からの集団移住という人員確保の上に成り立っていたのである。

戦後の三池炭鉱は一九六〇年代の安保闘争とならんで、「三井三池闘争」といわれる総資本対総労働の一大争議があった。堀さんは、その中で与論長屋の仲間たちも加わっていたと語り、自らも首切り撤回闘争をたたかい、お兄さんはかつての三川炭塵事故の後遺症で今も闘病中だという。

三池港は一九〇八（明治四一）年、有明海の干満差のハンディをなくしドック内の水位を保つため、ハチドリの形をした閘門式水門を造った。展望所から見えるかつての三井資本の誇る石炭積出港は、当時の面影はなく閑散としている。二〇一五年に「世界文化遺産」となり、数々の施設と三池炭鉱の立役者であった團琢磨の肖像や三池港水門を配した大きな野外パネルが立てられている。

堀さんは説明する。「世界遺産の対象とはされてない三川坑は、一九六三年、炭塵爆発事故で四五八人の犠牲者をだした。二酸化炭素中毒患者を八三九人も出し、今も闘病生活と法廷闘争が続いている。一九九七年、ついに三池は閉山した」――三池炭鉱の過去の栄光が段々と色あせて見えてきた。

労働者作曲家・荒木栄の記念碑を訪ねる。沖縄の復帰運動のテーマソングともいうべき「沖縄を返せ」「がんばろう」を作曲した荒木栄である。沖縄の復帰運動が島ぐるみに燃え広がる学生時代、「沖縄を返せ」の歌が聞こえない日はないといわれたほどであった。毎年、大晦日から初日の出にかけて那覇市波上(なみのうえ)の丘で開催された「暁の大合唱」のことが思い出され感慨に浸る。石碑に刻まれた「地底の歌」もよく歌った。壮大な男性合唱組曲のメロディが聞こえてくるようであった。

その日の夜は、堀さん宅に招かれ奥さんと息子さんに囲まれてごちそうになった。奥さんは隣の荒川市のご出身で、たたかう三池の主婦たちの輪の中でがんばった方であった。そのときから二年後に逝去された。

九月二日早朝、三池とは県境の熊本県荒川にある長洲港から島原半島をめざす。かつての与論の人々、叔父や父もこの景色の中にいたであろう。有明海は凪をうって湖のようだ、海の向こうには島原の象徴、雲仙・普賢岳が凛々しい姿を見せていた。一九九一年、テレビニュースで見た大噴火、火砕流、数々の命を奪った悪夢のような映像は今もはっきり覚えている。

長洲港から島原半島多比良港までは、高速フエリーに堀さん運転の車を載せ、四五分の船旅だ。堀さんは、明治末ごろの話を切り出した。「有明海は遠浅で五、六mもの干満差が激しく、三池では海外輸出向けの大型輸送船が係留できなかった。百年前までは、三池で採掘された石炭は団平船という小舟で三池港から口之津港に運び、係留された大型輸送船に積み込んだ」

口之津は島原半島の最南端に位置し、対岸の天草島鬼池港まではフエリーで二五分という。左に有明海沿岸、右に雲仙普賢岳を見ながら南下、やがて左側に口之津の港湾が広がって来た。

## 島原、口之津港

「口之津」というとおり、まさに有明海の玄関口としての船着き場であり、経済、流通あるいは戦略上の要衝であったことをうかがわせる。かつての「島原の乱」の舞台であり南蛮船来航の地として古くから知られる。一八九九（明治三二）年二月、はるか南の北緯二七度線上、木の葉のように浮かぶ与論島から、第一次二四〇人がたどり着いた場所である。まずは湾内の左入口にある口之津歴史民俗資料館を訪ねる。資料館の一角に与論館として一棟の木造家屋があって、かつての長崎税関口之津港事務所を再利用している。

当時のまま移設展示された与論長屋（口之津歴史民俗資料館提供）

資料館では元館長の原田建夫さんが迎えてくれた。南さんが現役時代、教材研究で訪れた場所である。与論島民の集団移住の歴史に関心をもち、教材研究で訪れた場所である。

館内には、大型輸送船への積出作業を表現した壁画とジオラマが展示され、当時の過酷な労働実態が一見できる。団平船からハシケ、大型船への載せ替えは波間に漂う船上で石炭をバラという竹籠に入れ、見上げるような高さの甲板上まで架けられたハシゴに人夫たちが連なり、与論人夫たちは「ヤンチョイ、ヤンチョイ」と掛け声を上げ、上へ、上へと手渡しで持ち上げていった。大壁画と実物大の団平船と等身大の人形の前に立つと、彼ら彼女たちの掛け声と波濤が聞こえて来るような錯覚にとらわれる。死人も出るほどの過酷な労働現場であったという。

原田元館長の最近の研究で、輸出専用大型船の「三井海員人名簿（一九〇二（明治三五）年）」とい

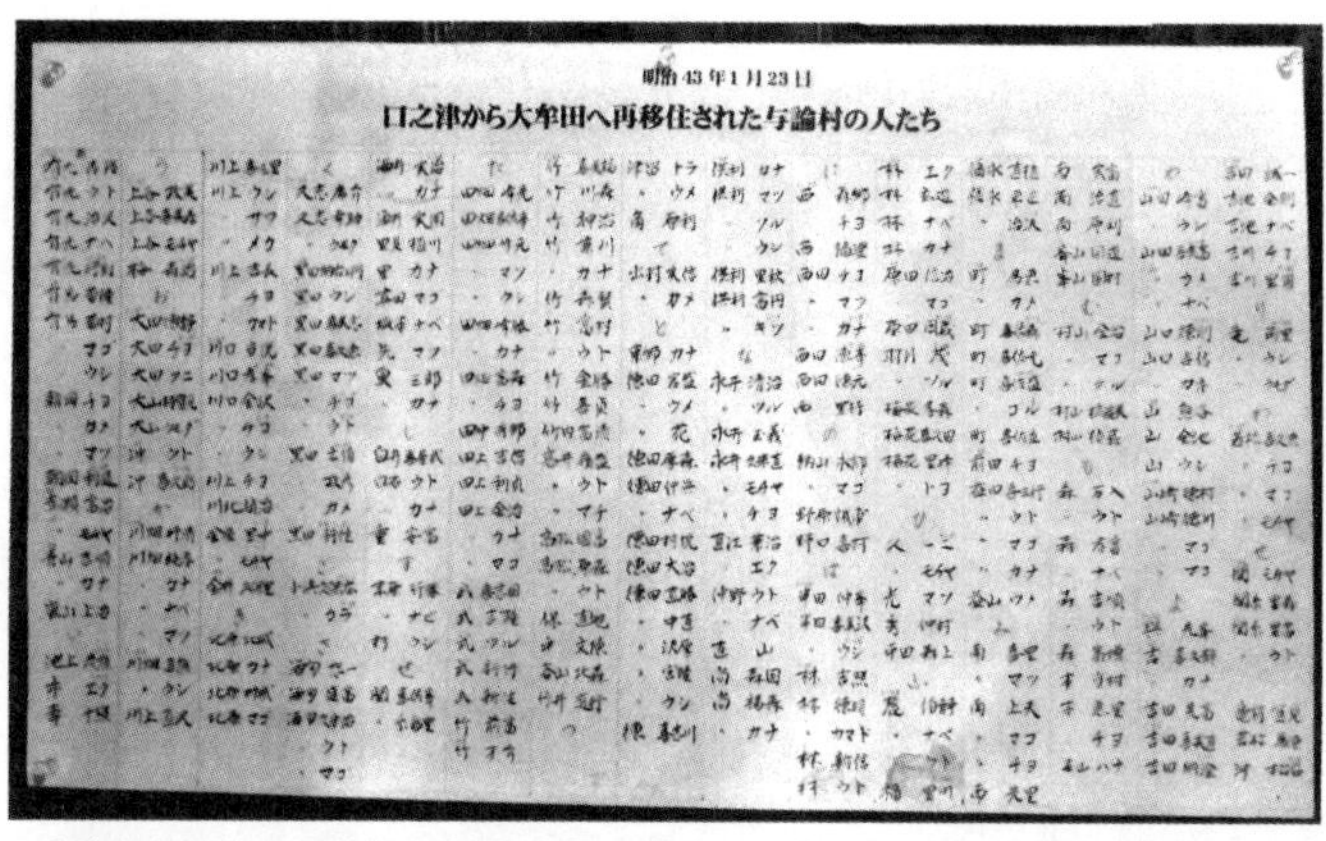
明治43年1月23日
口之津から大牟田へ再移住された与論村の人たち

口之津から三池への移住者名簿（1910［明治43］年）。祖母の弟夫婦や親戚の名前が見える（口之津歴史民俗資料館提供）

う史料が発見された。従来、奄美出身者は沖積人夫（沖仲士）だけと考えられたが、この名簿には沖永良部島五五人、喜界島一三人、与論島七人、奄美大島六人、徳之島五人等々の氏名があり、石炭夫、火夫といった輸送船の最下層の船乗りもいたことが明らかになった。

館内にはかつての与論長屋が一部移築されている。三畳ないし四畳一間と半間の土間台所があるだけの最低限の住み家だ

それから一〇年後、三池港の大型船係留工事が完成し、作業現場は口之津港から三池港へ移ることになり、人員削減もあって与論島民は行先の選択を迫られた。結局、郷里への帰島者が六百人余、三池再移住者は四二八人、その他、関西方面や種ヶ島等々へ散って行った。館内には三池への移住者名簿が一一三年後の今も、墨痕色あせ、あたかも何か言いたそうに壁に張り付いている。

口之津から今朝来た道を戻りながら、天草の乱で有名な原城に立ち寄り、有明海を渡って長洲港に戻った。日帰りの慌ただしい島原半島踏破行であった。

夕方は、堀さんが与論島出身の料理店を案内してくれた。お店は堀さん宅から近い「トントン」という西洋風の小ぎれいな店構えで、四〇代半ばの女主人ひとりで切り盛りしている。まずは堀さん、南さんと三人で地酒の焼酎で乾杯。有明の海の幸を頬ばりながら〝旅の総括と未来について〟語り合う楽しいひとときとなった。彼女の話では、「与論二世の青山という同級生がいて今は東京に住んでいる、お父さんが炭じん爆発事故で犠牲になっている」ということだった。私は親戚ではないかと考え、何かの機会にぜひお会いしたいので、と名刺を置かせていただいた。つぎ来るときはこの旅とは別の気持ちで、ゆっくり二、三泊ぐらい、口之津港のほとりや大牟田の路地裏をねり歩いて与論長屋の先輩たちの息遣いに触れたい。そして、スケッチとか雲仙温泉に入り天草島へも渡ってみたいものだ。堀さんとはこの場でまたの再会を誓い、お別れとなった。

翌朝早くもう一度有明海をのぞみ、一二〇年前与論島から渡って来た人々が歩んだ道を今一度反芻し、若き日の父や叔父たちはこの地でどのように生きていたのだろうか、なぜここを去って行ったのだろうか、などと問いかけながら大牟田を後にした。

それにしても、あれからずっと居続け、この地にすっかり溶け込んで来た与論島出身の人々のたくましさ、清々しさはどこからくるのだろうか。

## 与論満州開拓団

与論島のもう一つの〝島を出た民の歴史〟について振り返りたい。ここでは、福石忍一九七三年執筆『与論島移住史―ユンヌの砂』（南日本新聞社　二〇〇五年）から学び引用しながら述べることにする。

アジア・太平洋戦争末期、帝国日本の国策として与論島民六三五人が大陸「偽満州国」へ集団移住した。一九四四（昭和一九）年二月二九日第一陣出発、四月末ごろ入植地「盤山」に到着。しかし、一九四三年八月の先遣隊入植から二年後には思いもよらぬ敗戦をむかえ、悲惨極まりない地獄絵のような修羅場が待っていた。

当時の世界恐慌のもと、日本の農家は不況のあおりを受け日々の暮らしは苦境に追い込まれていた。政府は「満州に行けば広い土地をタダで遣る、満州への渡航費用も出す」といい、次男、三男や貧農には大陸へ夢をけしかけるように大動員を仕掛けた。

与論島に満州移住の話が持ち上がったのは一九四一（昭和一六）年ごろ。きっかけは、現地の満州開拓委員会に務めていた島出身のひとりの男が島にやって来て「いつまで小さな島で芋ばかりかじっているんだ。満州には広い天地がある」と吹き込んだという。

奄美群島からは一、二年の間で二つの開拓団が旅立っていた。一九四三（昭和一八）年には沖縄と奄美の合同開拓団が与論の数家族を含む二四八戸、八八〇人が満州へ渡った。沖縄県からは、小山子、伊関通、今帰仁、恩納、南風原、青雲（沖縄郷）、という開拓団が二千三五〇人、青少年義勇軍六〇〇人、合計で二千九五〇人が移住している。日本敗戦後の四〇数年が経って、大陸に残された中国残留日本人孤児として祖国日本に来て親探し、家族探しが繰り広げられ全国的な社会問題になった。

明治期の口之津・三池移住は、島の人口五千人の中から千数百人の分村といわれたが、満州移民が叫ばれ始めた昭和一〇年代に島の人口がなんと七、八千人にふくれあがり、過剰人口といわれたことも与論島民が満州移民を急がされた大きな理由である。軍と県からも積極的な働きかけのもとに村役場も動き始め、在郷軍人会は、団長を引き受けようとしない小学校教員の伊藤佐江吉（四二歳）を血判状で説き伏せて団員募集が本格化、「お国のため、新たな農業を大地で」と半ば強制的な勧誘がすすめられた。

一九四三（昭和一八）年八月、与論開拓団の先遣隊として伊藤を団長に幹部、団員二〇人が出発、鹿児島でひと月訓練を受け、九月初め満州へ渡った。そして北満の弥栄村（いやさかむら）で半年間、ハルピンの分所がある訓練所で酷寒に震えながら耐え忍んだ。訓練を終えて一九四四（昭和一九）年三月、奉天（瀋陽）移住地の遼寧市錦州省盤山県の居住地に到着。とりあえずは満州人の家に入居、第十三次盤山与論開拓団が発足した。

そのころの「神国」国民は、太平洋における日本の戦局がミッドウェー海戦の敗北であいつぐ後退に見舞われているにもかかわらず、「まだ遠い南方であり、神国日本の猛反撃がもうすぐ始まるんだ」と信じていた。

## 酷寒の地へ

満州移民の第一陣は一九四四（昭和一九）年二月二九日、屈強な男ばかり二〇人余が島の供利港から出発、鹿児島で開墾の実習などの訓練を受けた。満州の盤山には四月末ごろ着、盤山県庁から移住地まで二七㎞、「天の付け根まで平らな」広野を七時間かけて歩き通し、「来てよかったとは思わなかった」と、団員の一人は回想している。

与論からの移住は数次にわたって続けられた。島を出て大海に揺られて鹿児島では開拓、畑作実習の訓練所で二か月も過ごし、やっとの思いで大陸の満州移住地に到着した。

しかし、「百人が百人仰天、見渡す限りの野っぱらで何もない」状況、広大な土地は元々満州人の居住地と農地であり二百ha余りが関東軍・満拓に強制的に捨て値で奪われ、挙句の果て、農民たちは雇用労働者として低賃金と重労働で酷使されていたのであった。

与論開拓団が入植した当時は住宅建設中ということで、満州人宅で集団生活を余儀なくされた。酷寒の気候に住宅、衣類、飲料水も粗末で不衛生、入植後まもなく病人が続出し最初の年だけで死者は一〇人を超え、棺桶もつくれずコモ（菰・むしろ）で埋葬したこともあった。

一〇月になると与論から最後の開拓団が盤山にたどりついた。これで多いときには、赤ん坊から七〇歳代までの一四五戸、六三五人に達した。割り当てられた移住地は与論島の面積に近く耕地は与論島よりも広かったが、氷が張りついた土地はクワで割り開いて開墾するよりほかはないが、労働力となる牛馬もなく大変な重労働を強いられた。

開拓団は幹部が集まる本部の他に八部落に分けられ、黄金、光栄、東光、三和、瑞穂、中光、霧島、奄美などが〝荒野の理想郷づくり〟として名付けられた。しかし、明治の口之津、大牟田・三池に続く第二の与論分村とうたわれた大計画は、ここに来て不安は日々増すばかりであった。

酷寒にも負けず血のにじむような働きで、二年目の夏には、ようやく米が作れる田んぼもでき、稲もよく育ち、供出するまでこぎつけた。軍の供出には取られたが、よくここまで来れたとしばしの安堵感につつまれた。

そのころ遥か離れた与論島の人たちは、郷里から旅立った六百人余の満州開拓団のことを想うたびに、かつて三池・大牟田の与論長屋で歌われた「与論小唄」（沖縄で歌われる「十九の春」と同じメロディ）を思い起こして、替え歌を歌った。

雪はしんしん　降り積もる　　障子開ければ　銀世界
さぞや　満州冷たかろ　　思えば　涙が先に立つ

## 召集令状が来た

満州人の暮らしぶりは、コーリャンやヒエを主にネギなどの野菜を食し、砂糖やタバコは不足がち、衣類は与論島民の古着でも奪うように貰っていた。建物は土塀でオンドルを焚き、家財も少なく見るからに貧しかった。農業技術は旧態依然のままの手作業同然で、加えて現地の「匪賊」という強盗集団に荒らされ蓄財などは到底及ばず落ち着かなかった。それでも匪賊はカネやモノは奪ったが、関東軍みたいに土地までは奪わなかった。

満州人や朝鮮人に対しては「五族協和」（満・日・蒙・漢・朝）とか「王道楽土」を謳いながら、差別と偏見の傲慢強圧な対応であった。一方、与論島民に対しては「南洋から来た連中は言葉もろくに通じない」とさげすんだ。

一九四五（昭和二〇）年七月の戦争末期、与論開拓団幹部の一人池田福利は盤山県兵事官署から「すぐ出頭せよ」という通知が来た。三人の名前が記された与論開拓団第一号の召集令状である。池田らは即、関東軍入隊、中一日おいて奉天へ、二日後には朝鮮光州へ駆り出された。島で「移民は召集免除」といわれたことは甘言だったのだ。数十人も召集される日もあり、街を歩いていると巡査から「まだ召集されてないのか」といわれ、その場で名前を書いて赤紙（召集令状）を渡され強制された男性もいた。一四五戸から一二一人余の青壮年たちが赤紙一枚で駆り出され〝男狩り旋風〟と称されるほどの根こそぎ召集となった。

しかも、開拓団を統率する伊藤佐江吉団長と町清之進副団長の二人をも召集され、女子どもと高齢者たちが残され、「お国のため」とはいえ、心細い出征壮行を強いられた。男たちは、帝国日本の聖戦勝利を信じてソ連国境の関東軍各戦線に配属されて行った。それから四〇日後、運命の日がやってくるとは夢々思わなかった。

六三五人の与論開拓団はこの時、病死者三〇人余と応召者一〇〇人が出たために、五〇〇人前後に減少していた。移住地には関東軍の土地強奪後も満州人百戸余りが残っており、与論開拓団の一部には住宅未完成で満州人宅に居候している家族もいた。そのときはまだ満州人と与論島民の間に、差別される側の共感する心情を持つまでには至ってなく、双方の交流がこれから始まろうという時期であった。

やがて来る日本敗戦後の現実は、満州人にとって直近の日本人であった与論開拓団の人々に帝国日本の蛮行のツケを回してくることになった。

## 日本降伏、修羅場の惨劇

太平洋戦争末期、日本の戦況は「沖縄は玉砕した」という状況にあり、東京はじめ日本の主要都市は米軍の大空襲に見舞われ、やがて広島、長崎に原爆投下という現実が迫っていた。さらに、大陸ではソ連軍が北から攻めてくるという決定的な事態に直面していた。一九四五（昭和二〇）年八月八日、日ソ中立条約を破ってソ連宣戦布告、翌九日早朝、満州へ侵攻。太平洋戦線に戦力を回していた関東軍は、精鋭部隊が沖縄へ移動させられ、かつての力はなく、ひと月前には満州の四分の一を放棄、部隊を朝鮮国境まで後退させていた。

アメリカは八月六日に広島、九日に長崎に原爆投下。八月一五日、日本はポツダム宣言を受諾して無条件降伏した。

与論開拓団の移住地は、戦争が終わったことを知らなかった。三日遅れの一八日になって初めて日本が負けたことを知った。奇しくも郷里の与論島でも日本の敗戦を知ったのは三日遅れの八月一八日であった。そこから信じられないことが起こった。日本の敗戦を知った現地の満州人が暴民と化して行動を起こしたのだ。以下、『与論島移住史』（西日本新聞社編〔執筆・福石忍〕）より要約する。

午前八時ごろ、東光集落では十数人の暴民がコン棒や長カマを振り上げて襲ってきた。残留していた団員の若者三、四人が必死で日本刀とコン棒で抵抗し追い払った。正午には三、四〇人が襲いかかって来たが教練本部から銃を持って応援に駆けつけやっとのことで撃退した。しかし昼過ぎになると百人が押しかけ、窓を破って侵入、家財道具を奪い放火、もはや防戦は無理と全員が本部へ避難した。瑞穂集落では七五歳の老婆が逃げ遅れてついに自決してしまった。本部前の草原に集まったみんなの声は震え顔には涙が光った。今度は四〇〇人もの暴民が一〇台余りの荷馬車を引いてやって来た。男手は少なく武器の少ないみんなの顔には絶望の色が浮かんだ。

子どもを抱えた母親の着物は血に染まり、殴られ蹴とばされ、みんなバラバラになった。やがて、本部は放火され一晩中荒れ狂った。

逃げ場を失った二二人はとうとう近くのため池に入水し自決、ため池は地獄絵と化した。二〇人が女性、二人の男性は一四歳と一六歳の少年であった。本部から再び自分の集落に逃げのびた女性六人もため池に入水自決した。

悪夢の一夜が明けた一九日朝、焼け跡に集まったところへ、またもや暴民が現れ、一切の持ち物が奪われ、衣服は剥ぎ取られ男はパンツ一枚、女は下着だけ、着のみ着のまま県庁方面へ歩いて行った。

中光集落は満州人集落に仮住まいしていた。やはり一八日朝一〇時ごろ、略奪を終わった暴民は所持品のすべてを強要し娘を出せといって来た。みんなで「最悪の場合は全員玉砕しよう」と申し合わせて避難した。その時、着ていた背広に目をつけた暴民が兵役経験者の長兼治（三三歳）を惨殺した。その後も執拗に娘たちを連れだそうとする。団員たちは血まみれになりながら乱闘三時間ののちようやく追い出した。

このままでは到底生き延びられそうもない、全員玉砕の覚悟を決め、その前に老幼婦女子は同胞の手で処置するほかはないとした。二十日の朝が来た。先輩たちに頼まれていた池田青年が短刀をもって気が狂ったように婦女子二六人の胸を突き刺した。あたりは見る見るうちに鮮血の海になった。開拓団の男たちは家に火をつけ一斉にハチマキを締めなおして飛び出した。男たちのこの必死の形相に圧倒された暴民たちは退散して行った。

一方、同じ与論開拓団でも奄美と霧島集落は幸運に恵まれていた。付近の満州人が好意的で保護してくれた。危険だった本部へ行こうとした時も「今は危ない、ここにいなさい」と引き留めてくれた。やはり本部は焼き討ちされた。その後、猟銃を持っていた熊本開拓団の方へ逃げるようにすすめられ集落境界まで見送ってくれ、暴民には襲われることもなくみんなと合流できた。満州人の全てが暴民になったわけではなく、好意的な人々もいたのであった。敵意を生み出したのは、日本・関東軍の土地強奪をはじめとする抑圧と収奪の植民地開拓政策にあった。

## 生き延びて

与論開拓団は八月一五日の日本敗戦から三日後、八月一八日から三日間で五九人が「自決」してしまった。国策によって大陸「満州」に夢をかなえようと、はるか南の小さな島から渡って来た純朴な農民たちの痛ましい末路であった。日本帝国主義は勝手に中国の領土に武力で侵入して現地の人々を脅して土地を強奪し、開拓団からは青壮年を戦地に駆り出し、片やソ連軍の侵攻に劣勢になると開拓団を置き去りにした。いまわしい歴史である。

しばらくして開拓団は中国の命令で「墾務団」と改称され、ひとまず帰国することになった。与論開拓団の「満州」入植は、先遣隊派遣から二年余、ついに分村建設の夢はついえ、錦州省葫蘆島から帰国の途についた。一九四六（昭和二一）年六月のことである。

祖国の地、博多港に引揚げてきた与論開拓団の人々は、郷里与論島へ向かう者、あるいは大牟田の親戚を頼って出て行く者等々、身の振り方が決まっていった。家財産を全て処分して島を出て行った人々にとって、大きな決断を迫られた時であった。行先不安にかられ結局、五四戸、一六五人が「第二の分村地」に行くことになったが、当初の満州開拓団の四割近くの戸数に留まった。

入植地は鹿児島県大隅半島の田代という国有林の山地。杉などの雑木林がうっそうと繁る「ウサギ道」しかないところ。ある長老は「山道をウサギが通れば馬も通れる。馬が通ればやがて人も通る」と励ましあって長柄カマやナタでヤブ草を払いのけ、ノコギリで大木にしがみつき根っこを掘り起こし、クワをふるって畑地をこしらえていった。

一九四七（昭和二二）年、八月までに四反歩（一二〇〇坪）の山を開き芋を植えた。収容所の家族を呼び寄せるための掘っ立て小屋も建て、そこで、入植地の名称をあの満州の「盤山」とした。

しかし家族を呼んで一段落した後、年配者や健康や境遇に不安を感じ「山を下りよう」という人が出てきた。そんな中、二四人の青年が立ち上がって青年団をつくった。

その後も台風襲来で壊滅的打撃を受けるなど大変な試練がつきまとった。一九五二（昭和二七）年、土地の正味配分を受け一戸当たり一・五ha（約四五〇〇坪）の土地を得た。今では、鹿児島でお茶といえば、まっさきに名が挙がるほどの名産地として知られるようなった。現在二一戸が茶栽培、一戸当たりの作付面積は七～八〇〇ha（約二万一〇〇〇坪）に広がっているという。

国策によって大陸に夢を馳せて満州へ渡り、筆舌に尽くせない修羅場に直面して翻弄され、命からがら祖国に引揚げて来た。郷里与論に戻りたくても戻れない人たちが、大隅半島の山里、田代盤山にたどり着いた道のりである。ぜひ訪ねて盤山の人々とお会いし、お茶をいただきたいと思う。

父の足跡をたどろうと考えなければ知りえなかった与論島の、国策に翻弄された歴史。文献渉猟だけでなく、それぞれの現地に赴くことによって、より鮮明に浮かび上がっていった。父はこうした歴史の背景のもと、自らの運命を選択していくのだった。なぜ台湾へ渡ったのか。それは時の流れに翻弄され、必然としかいいようのない漂流だったのだろうか。

第三章　基隆社寮島物語

## 南へ、南へ

昭和の初めごろから台湾に渡っていた、父の従兄青山先澤が鹿児島に来たとき、漁師としての年期奉公明けになりそうな惠先に会い、台湾に来るよう誘った。先澤によると、惠先は奉公明けからの三年間、九州西海域を渡り歩き、大牟田の長兄惠森のところに数か月間居候したことがあったという。惠先は三池炭鉱の与論長屋の厳しさを目の当たりにしたのだろう、台湾の基隆社寮島でカジキ漁突きん棒船の船長として名を挙げていた先澤の誘いに応じるように、人生の方向を南へ南へとかえていった。そのことが分かったのは一九九三年、惠先の「失踪宣告」を那覇地方裁判所へ申立てたときの青山先澤証言であった。

惠先は久米島で二年あまり過ごし、石垣島から与那国島を経て基隆社寮島にたどり着いたという。一九三五（昭和一〇）年、惠先二七歳。惠先は結局、生まれ故郷与論島を出て、台湾二・二八事件で「強制失踪」されるまで、ついに一度も郷里の与論島へ帰ることはなかった。

## 台湾基隆の琉球人集落

年期奉公を解かれ、兄恵森のいる大牟田・三池に流れた恵先は、当地での活路を見出すことなく数か月後には結局、台湾の従兄先澤を頼りに南へ向かった。懐かしい与論のウミンチュ（海人・漁師）たちが数人もいて、奄美諸島や沖縄島糸満をはじめ、久米島、久高島、平安座島などから寄り集まり、恵先にとっては居心地のよい場所となった。

日本の台湾領有から一年後の一八九六（明治二九）年、大阪商船が大阪・神戸―長崎―鹿児島―名瀬―那覇―平良―石垣―基隆の定期航路を開設したことで、日本・沖縄と台湾が一気に近くなった。基隆社寮島は、特産の寒天草が採れる春から夏にかけて、沖縄のウミンチュたちが大勢押し寄せて来るようになった。

最初、明治末期に沖縄久高島の漁夫たちが住み着いた。さらに拠点的に往来していた糸満漁夫も段々と定住するなかで、遠くは奄美諸島、沖縄島東西海岸や周辺離島から、近くは宮古、八重山の先島各地から、「糸満売り」などを経由しながら、南下して台湾へたどりつき、ひきつづきそれぞれが自らの足場を固めつつ、一族関係者を呼び寄せ輪を広げて沖縄社会がつくられていった。その地は琉球人集落となった。

「糸満漁法」とよばれるその卓越した素潜り漁などの漁法は、台湾の人たちにも大きな影響を与えた。また地元民の承認も受けて信頼関係をつちかい、台湾人住民からは居住する土地を提供してもらうなど、日常の暮らしの上でも共同体的なつながりが芽生え、植民地における主従関係の立ち位置のなかで、支配する側の最下層にあった琉球・沖縄人の心の中には、共感し共鳴するところがあったのだろう。

## 青山先澤のこと

ここで二〇代の惠先にとって決定的ともいえる関わりをもった二歳上の従兄、青山先澤について述べておきたい。先澤本人から聞いた話では、一三歳で与論島を出て糸満から石垣島へ渡りウミンチュの修行を重ね、台湾基隆社寮島を往来していたという。一七歳の時、社寮島の琉球人集落の中心的人物であった沖縄久高島出身の上間長三のもとに寄留し、社寮島に定住するようになった。当時の寄留戸籍が残っている。

与論島の親戚から聞いた話では、幼少のころ、学業優秀で腕っ節も頑強であった。台湾に来てから漁法や船舶技術の習得も早く、数々のライセンスを獲得し、仕事の領域と実績を広げ、社寮島沖縄人の青年漁師の間ではリーダー的存在であったという。当時先澤の弟分だった古堅宗寛(沖縄県国頭村出身)によれば、カジキ漁突き船は「神業」というほどだった。集落の角力(すもう)大会ではシージマトゥヤー（さいごのトリを担う者）で男を上げ、「裸になると仁王像のような屈強な体躯で、板子一枚海上での先澤船長は近寄りがたい鬼のような形相であった」と回想している。このような話は、社寮島におけるウミンチュ共同体のなかで〝伝説的語り草〟となっている。

島の長老でリーダーであった上間長三から船長に抜擢され、一九三一（昭和六）年、那覇市垣花出身の玉城ミネと結婚、二男三女の子宝に恵まれた。上間家の向かいに新居を構え、若いウミンチュの所帯主として「寄留」同居させ、女中や乳母も雇い、比較的裕福な家庭を築いていた。しかし、台湾にも軍靴の音が間近に聞こえてきた一九四二（昭和一七）年のある日の夜、唐突に赤紙（召集令状）が来て翌朝召集、フィリピンへ送られていった。激しい戦火をくぐりぬけて、敗戦後の一九四五年一二月、神奈川県浦賀港へ復員引揚げ。下関でひと月滞在後に、日本からの台湾人引揚船に乗って基隆社寮島に帰ってきた。妻と五名の子らとの三年半ぶりの再会も束の間、しばらくして妻子は先に石垣島へ引揚げたが、先澤ひとり「留用者」として取り残された。

先澤は、留用生活のさなかに遭遇した二・二八事件の過酷な体験を経て、ようやく妻子のいる石垣島へ引揚げることができた。石垣島では船長として持ち前の技術力とリーダーシップでカジキ漁に加えて珊瑚採取船でも実績を上げ、一九五六（昭和三一）年には沖縄島那覇市へ進出した。泊漁港を拠点として、宮崎県佐伯で造船した菊吉丸という二〇数屯のカジキ専用の突きん棒船を経営していた。

【コラム】

## 佐藤春夫の「社寮島旅情記」

一九二〇（大正一一）年ごろの社寮島琉球人集落が登場する興味深い随筆がある。後々、大家といわれるようになった二九歳で新進気鋭の佐藤春夫。台湾の基隆社寮島を訪ねたことを回想して一七年後の一九三七（昭和一三）年に「社寮島旅情記」を著している。私の知る佐藤春夫という人物は、文学界の耽美派の旗手で小説「田園の憂鬱」の作者で、沖縄出身の詩人山之口貘がお世話になった人物である。

ストーリーは、琉球人集落の輪郭がイメージされ、社寮島の景色が見えてくる。沖縄女が「浜千鳥」（琉球舞踊の「チジュヤー」）を唄い泡盛を酌み交わす軽妙な語りの場面に誘われていく。当時の台湾における「琉球人社会」を記した文芸作品がほとんど見当たらないなかで、短編ながらたいへん貴重な「作品」ではないかと思う。原文からいくつかの情景を拾ってみたい。

「どうせ基隆に見物するところもない。どうだあの島へ渡つて涼んで来ないか。あの山の裾に琉球人の部落がある。泡盛でも飲んで蛇皮線を聞くぐらゐの外は、つまらぬところかも知れないが」／彼はもう手を上げてを舢舨を呼んでゐた。／港内を二十分も漕いで行つたらうか。（略）舢舨は砂浜へ漕ぎつけられた。汀はよかったが砂地へ行くと灼けた砂の熱気がズボンの裾口から股の方まで伝はつてくる。すぐ靴まで灼けて来るので落ちついて歩いてはゐられない。小鳥のやうに、ぴよんぴよと飛んで歩く。（略）歩いてゐると山かげに家が二つ三つ並んだのが見えて来た、後にも二つ三つは重なつてゐる小さな部落である。茅の屋根か藁か、それとも石を置いてあつたやら、もう記憶がおぼつかない。（略）一番大きな家へ目ざして行つた。酒の文字を表はした看板も見えた。（略）とんと内地の百姓家の感じと相違がない。八畳だか十畳だかの奥座敷へ招ぜられた。戸外があまり暑かつたせいか室内はひやりとし有難い。／出て来た女どもは内地でいふ酌婦というやうな者であらう、多分船員や琉球辺から来る漁師どものお相手をする者と思へる。（略）女は我等に酒を估らうとするのを友は適当にあしらつてゐる。／「俺たちは芋の酒なんか真平だ」／「お米の酒もある」／「米の酒はなほまつぴらだ。まづくて高いからな。お前たち飲むなら芋の酒でも飲め、金はやるぞ」／とまづこんな調子である。（略）友は弾いて歌ふことを求めた。／「それではあなたがたに気の入るやうなのを歌ひます。詞はわかりませんよ」（略）たびーやァ…はまや…ァるい。こさをまくら……、つつの……わやのおそばァ…、／（略）「旅すれば、浜ぺの泊り、草を枕。月のぼる時、夢は古里の父母のもとにありなん」／といふ程の事だといふ。つつは月か星か念を押してみたら、星ではなく月に相違ないらしい。

島の北東側の千畳敷海岸、今の社寮島外萬善堂が見える位置にある琉球人集落の浜辺に着いたのである。当時といえば琉球人が住み着くようになっておよそ一〇数年後であろうか、舢舨というのは沿岸や河川を船頭一人で縦横無尽に櫓を操る、いわば海上タクシーみたいな帆を立てた覆いのある渡し舟である。橋ができてからもこの方が便利ということで基隆の中心街への大事な用事や、通学、通勤にも利用する人々が多かったという。

沖縄人のなかでも、とくに久高島出身の内間長三（一八八一〔明治一四〕年生）は現地住民の人々からも畏敬の念で「海の神様」と尊称されるほどであった。当時の上間の戸籍謄本（基隆市発行）には、同居寄留人として、与論島出身貞久保○・裸潜漁業（男）大正六年生、多良間島出身東風平○○・裸潜漁業（男）大正四年生、与那国島出身宮里○○（女）大正六年生等々の名前が記されている。

社寮島の沿岸海域は寒天草やカツオ、カジキ等々の漁業資源が豊富であった。現地の台湾人は漁業知識が乏しく、漁法や漁具・漁船などもきわめて貧弱でその条件を充分に生かしきれず、日常の生業は農業が主で漁業は副業程度でしかなかった。

社寮島の沖縄人たちはそれぞれのシマ（出身地）からもってきた伝統祭事をそっくり再現した。なかでもハーリー（爬龍船競漕）や浜下り（旧暦三月三日「サンガチサンニチー」）などの祭日は、集落の「晴れの日」として台湾の人たちも中に入り、たいへんな賑わいをみせたという。

社寮島は、現在は和平島と呼ばれ、海岸線一帯に奇岩奇礁が広がり、その景観は今では野柳海岸につぐ名の知られた海浜公園として基隆市が管轄する観光地となっている。台湾を代表する観光地となった九份とは一二㎞の直近にあって、大陸や東南アジア等からの観光客でにぎわってい

現在の和平島海岸風景（筆者撮影）

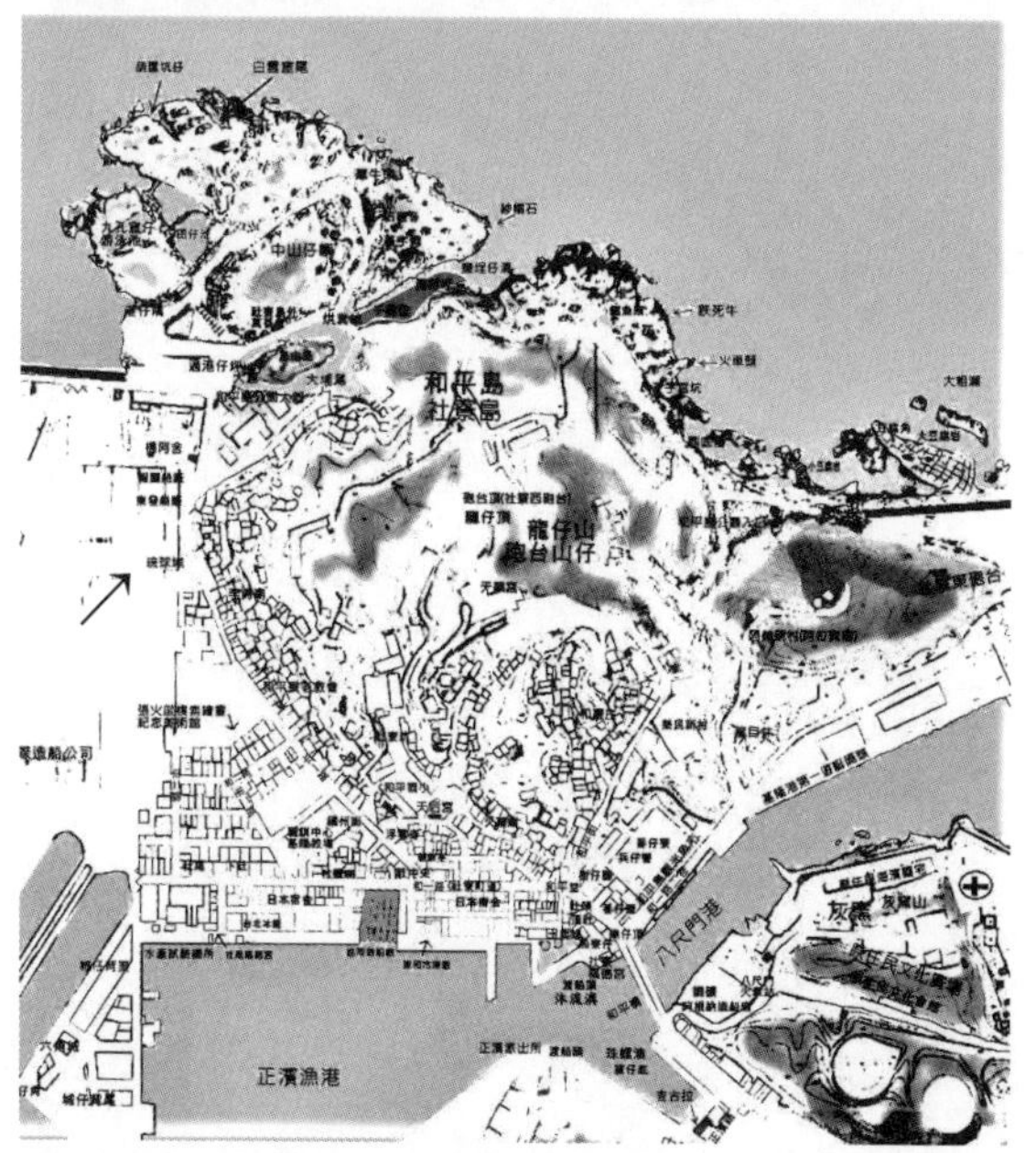


和平島折返しバス停にあった故事地図案内板。左上↗に「琉球埔」の文字が見える（2013 年筆者撮影）

る。しかしその海岸一帯は、かつて二・二八事件の虐殺処刑場となった、光と影が交錯する場所である。海岸域には周辺から集められた遺骨を収容する社寮島外萬善堂という廟がある。和平島という名は〝虐殺の島から平和を希求する島へ〟という願いが込められているという。

## 台湾人と琉球人

日本統治時代の社寮島で琉球人と台湾人の間に起きた〝対立騒動〟の記録がある。

二〇一四年、基隆で開催された「二二八事件基隆市三・八追悼集会」に初めて参加したとき、地元の二二八事件犠牲者家族会のリーダー的存在である周振才医師から八九歳の潘水木さんを紹介された。人懐っこい笑顔、流暢な日本語で語りかけてきた。さらに父親が社寮島に住んでいたという五〇代の林大洋さんも声をかけてくれた。二人とも社寮島では琉球人集落の近くに住んでいたという。

「千畳敷近くの浜辺で、琉球人のセイゾーという友達とウミガメの卵を掘って取り、一緒に僕の家へ持って行き焼いて食べたことがある。海メガネ（ゴーグル）を借りて潜りを教えてもらったよ、今も生きているかなぁ」

もう一人、五〇代の絵描きという林大洋さんは潘さんの通訳を借りて話しかけてきた。林さんは、「青山さんのお父さんと友達だったと思う」といって、自分の親父の顔だという葉書大の肖

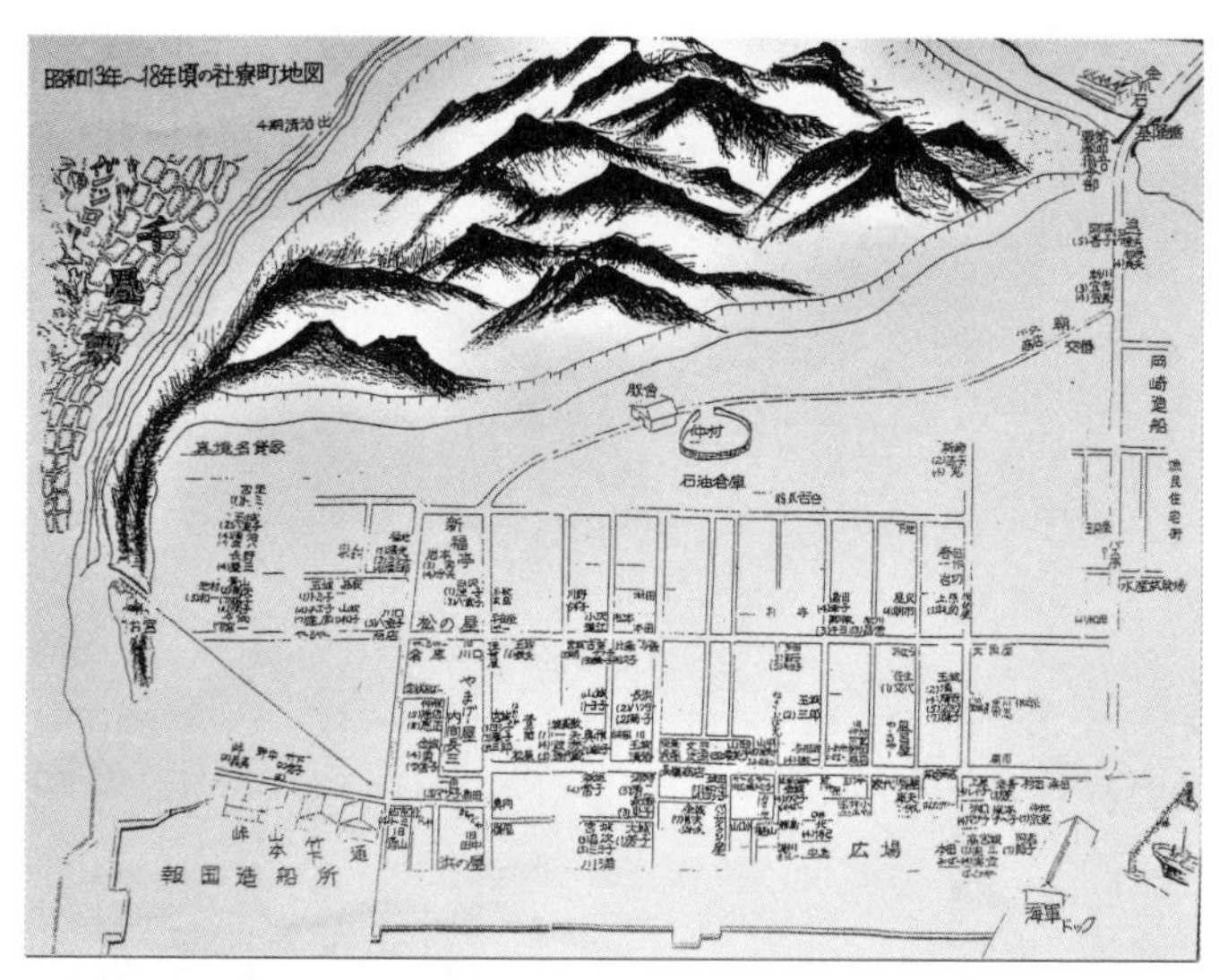


社寮島琉球人集落住宅地図・昭和 10 年〜 18 年。 青山家などの民家、3 軒の料亭、上間長三家、風呂屋等々がある（玉城清治提供）

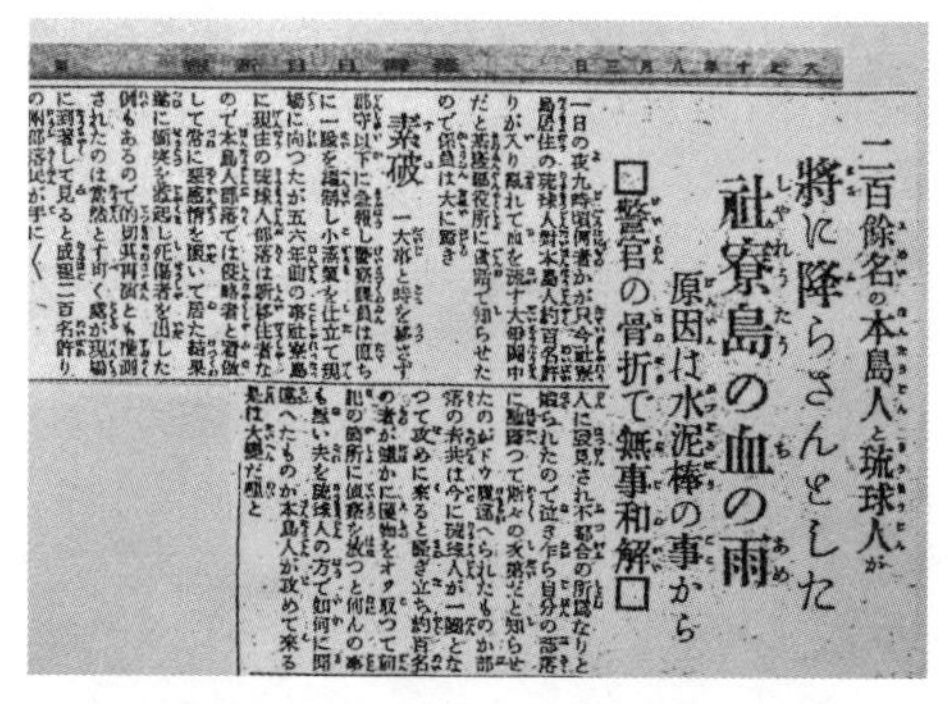

大正十年八月三日　臺灣日日新報

二百餘名の本島人と琉球人が
將に降らさんとした
社寮島の血の雨
原因は水泥棒の事から
□警官の骨折で無事和解□

一日の夜九時頃何者かが只今社寮島居住の琉球人對本島人約百名許りが入り亂れて血を流す大爭鬪中だと基隆郡役所に急報して知らせたので係員は大に驚き

素破 一大事と時を移さず郡守以下に急報し警察課員は直ちに一隊を編制し小蒸氣を仕立て現場に向つたが五六年前の事社寮島に現住の琉球人部落は新移住者なので本島人部落では侵略者と看做して常に惡感情を懷いて居た結果此に衝突を惹起し死傷者を出した例もあるので的切其再演と推測されたのは當然とす可く處が現場に到着して見ると武裝二百名許りの兩部落民が手に〱 [illegible]

『台湾日日新聞』1921（大正 10）年 8 月 3 日号

像画を差し出した。

「生前の父から聞いた昔話だが、社寮島は川が無いので井戸水が大切だった。水を盗んだ、盗まれたと、琉球人は魚を獲るモリを、台湾人は農作業のクワを持って向かい合った。しかしそこで、琉球人の大将が現れ話し合いをやろうと言って、お互い誤解があったことがわかり、仲直りした。それからは琉球村のスモウ大会やハーリー競走（爬龍舟競漕）にも招待されたりしたそうだ」

一九二一（大正一〇）年八月三日、台湾日日新聞にその模様が記事になっている。「二百名余の本島人（台湾人）と琉球人が将に降らさんとした社寮島の血の雨。原因は水泥棒のことから、～警官の骨折りで無事和解～」。この話は当時社寮島に住んでいた台湾人の間では今も語り草になっている。

そこには、よくいわれる侵入者と現地人の対立というような構図はなく、弱者の寄り合い共同体みたいな〝きずな〟が形成されたのであろうと思わせる。両者には共通の支配者から差別と偏見を受けていたからであろうか。社寮島には、同時にヤマトンチュ（大和人＝内地人）の居住街も存在していたことを考えれば、ウチナーンチュ（沖縄人）としては、こうして日本人としての精一杯の存在感をも示していたのであろう。

## イサキとよばれて

父の話にもどろう。

琉球人集落には沖縄島東海岸の安田集落、伊計島、平安座島、津堅島、そして久高島等々に混じって、与論島や沖永良部島などの奄美諸島のウミンチュも居住していた。敗戦後、沖縄に引揚げて来た祖父や母たちが話していた、奄美諸島から来たと思われる川崎、横山、末原、竹内、奥という名字は、日常的に付き合いのあった人たちであった。

恵先は従兄の青山先澤家に寄留戸籍を置き、カジキ突き船の見習いをしながら機関長の免許を取った。一九三七（昭和一二）年には日中戦争（「支那事変」）に徴兵され「盧溝橋事件」にも動員された。紛失してしまったが、恵先が軍服を着て日本刀をかざした十数枚の写真があった。大陸からは二年ほど後に無事生還。その後は内地人経営の高雄往復の木材輸送船でも働いた。なお転々と職を替え三〇歳を越え再び先澤のところへ飛び込んできた。

恵先のこのような話は、従兄の先澤から詳しく聞きだした話である。エピソードは山ほどある。父の名前の恵先は「えさき」とよむが、鹿児島にいたころから海水魚のイサキとかけて、「イサキ」とよばれ、親しまれた。イサキという魚は、長崎が断トツの漁獲量で沖縄では聞きなれない。背びれが鶏のトサカに似ていることからが鶏魚と書いたりする。ウチナーとは違うヤマト文化も入り混じった社寮島では、漁師仲間から魚のイサキのようなかっこいい海の男だと言われて、社寮島のハーリー祭の水泳競争ではいつも一等賞のアヒルを担いできたという。色白の男前で酒も煙草もフダ（花札）もやらずまじめ一本でやさしい人であった、云々。
父親の記憶がない子（筆者）に対して、母や祖父、親戚縁者が語り伝えてきた話は実にいいことづくめであった。不幸な生涯を遂げた亡き人とその子へ、慰めと哀悼の意を込めて語り伝えたのであろう。

## 社寮島の追憶

かつての社寮島琉球人集落で過ごした小学生のころを回想した二人の記録がある（基隆市真砂国民学校同窓会編『真砂会　20年のあゆみ』一九九二年）。要約して紹介したい。

玉城清治（糸満市出身、昭和七年生）

社寮島は基隆港口の東側に横たわる一㎞四方の小島で、基隆橋とサンパン（渡し舟）での人の往来は陸続きの観を呈していた。橋を渡って右手に要塞司令部、その大通りを行くと左手に、四国や九州の出身者が多く住む漁民住宅があり、賑やかな商店街の続く中道を抜け、右に曲がると南西側に拡がる浜辺と、北に千畳敷に面した一角が、小生が産声をあげた忘れがたいふるさとである。そこは、内地人、本島人、朝鮮人が混在した集落で、なかでも沖縄人が多くを占め、風俗・習慣などを持ち込んだ。昼間から三味の音の聞こえるミニ沖縄社会だった。年中行事として爬龍船競漕や芝居、相撲などがあって住みよいオアシスを作っていた。
（一五八頁）

金城睦子（旧姓古堅、那覇市出身、昭和十二年生）

基隆。私にとって、それは心のふるさと。思い出す度に熱い思いがこみ上げて参ります。夏の暑い日、亡き祖母に手を引かれて渡った社寮町から浜町へのあの懐かしい橋、橋の袂の浅瀬に泳ぐ目の覚めるようなコバルト・スズメに目を奪われて、つい立ち止まり、祖母に急がされて渡ったものです。当時、母が産婆を開業していた関係で、まだ幼かった私は水産学校内にあった伯父の家に預かってもらうための日課でした。時にはサンパンで海面に吹く風も心地よく、向こう岸までの渡し舟は実に快適でした。私たち九期生の入学式は、戦争の色も濃くなった中で行われ、入学と同時に「空襲警報発令」と防空頭巾を頭に被りながら、校門前の溝に駆け込んで、目と耳を押う防空演習ばかりの連日でした。（一八二頁）

## 結婚生活と徴兵

私の母・美江（よしえ）は、一九一一（大正二）年沖縄県国頭村で渡慶次賀篤とゴゼイ（旧姓崎浜）の次女として生まれた。当時はウトという名であった。尋常高等小学校高等科を出て、今でいう「集団

青山惠先・渡慶次美江結婚記念写真、1942（昭和17）年7月

就職」で大阪岸和田の紡績工場へ行った。その後上京して電機工場で働きながら和裁と着付けを習得、二〇歳を越えて沖縄に帰り那覇で親戚が経営する和裁店で働いた。

一九四〇（昭和一五）年、美江の家族は、沖縄県国頭村から両親と妹しづの四人で台湾へ移住した。賀篤は、養子長男の賀次郎が数年前からカジキ船で〝成功〟していることで台湾に呼び寄せられた。このころの台湾は〝蓬萊島〟ということが沖縄中に伝播され、時の流れに誘われて馳せ参じたのだった。社寮島には青山家と渡慶次家の親戚縁者はすでに十数所帯も居住していた。

賀篤はペルー滞在時の会計職を生かして社寮島の国策会社報国造船所に入り、美江は台湾に渡ってからもやはり基隆市街地で内地人経営の和裁店で働き、妹しづは県立三高女出身ということが幸いして郵便局事務職として採用された。

二年後の一九四二（昭和十七）年七月、惠先と美江は青山先澤・ミネ夫妻の紹介で見合い結婚。惠先三三歳、美江二九歳、当時としては二人とも晩婚である。

結婚式と披露宴は基隆神社近くの料亭で行なわれ、惠先は紋付袴、美江は和装の花嫁姿。記念写真を見ると、与論島の祖父惠澤もはるばる駆けつけるなど、親族、友人知人、漁業関係者等々が多勢出席し、盛大だったことが偲ばれる。

翌年一九四三（昭和一八）年五月二七日、長男惠昭（筆者）が生まれた。父は、惠昭と書いて「かずあき」と呼ばせたそうだが、いつのまにか周りからは「けいしょう」とよばれ、今でも続いている。美江は、「その日は海軍記念日で軍関係者からも特別の祝儀をいただいた、惠先の従弟青山行勝が基隆海軍要塞司令部の陸軍中尉でいたから」といい、暮らしぶりは「普通の上等だったと回想していた。

しかし父と母の結婚生活は長くは続かなかった。母によると、「右肩には龍と牡丹のヤマト刺青が彫ってあり、性格が分からないところもあった。海ばっかりでオカ（陸）にはあまりいない、あんたが生まれて三、四か月後にベトナムへ（徴兵されて）連れて行かれた」

## 戦時空襲、疎開

台湾の米軍空襲は沖縄と同じように一九四四（昭和一九）年一〇月から始まった。その前年と前々年には恵先や先澤が二度目の徴兵に遭い、集落の男たちは戦場へ根こそぎ駆り出されてしまった。社寮島の琉球人集落に残された年寄りと女、子どもたちは心細い日々を送ることになった。

やがて琉球人集落の人々は基隆周辺の山中へ疎開を命じられ、青山家と渡慶次家は一二㎞ほど離れた瑞芳（ずいほう）・九份へ徒歩と軽便鉄道（五分仔車）で逃避した。一九四五年五月の大空襲の際、同伴した渡慶次家の祖母ゴセイが疎開先の宿舎から出たまま帰って来ず、現地の人々の協力も得て探し回ったが見つからず、祖父はその後も一人で毎日探しまわったという。

一九四五年八月一五日、村の役人さんがメガホンをもって「広場に集まるように」と呼びかけがあった。現地周辺には炭鉱や金鉱の山々が点在し戦時下は休業状態で穏やかな光景だったが、その日は雰囲気が騒々しい。祖父の賀篤が行ってみると四角い箱のラジオからウーとかアーとかいっているがよく分からないが、役人たちはうつむいていた。ようやく役人が顔を上げて言うには、帝国日本が負けたという。賀篤はそのときのことをずっと後になって「アッそうかと思ったよ」と回想していた。それは天皇の降伏宣言放送であった。

日本敗戦後の一九四五年九月初め、祖母の姿を山から下りる前にもう一度、山、川、谷間を探し回ったが見つからなかった。賀篤をはじめ家族みんな重い荷物を引きずるように元の集落へ帰ってきた。幸いにトタン屋根の我が家は壊されず、島の防空壕や洞窟から出てきたばかりという島の台湾住民たちが仮住まいしていた。

人々は呆然とするいとまもなく、生きるすべを求め、戦地へ行った男たちの安否を気遣い、郷里へ帰ることを切望していた。そして、美江はひたすら夫惠先の帰りを待っていた。

## サイゴンからの便り

「當方只今西貢に居ります　至極元氣でゐます。御安心下さい」

一九四六（昭和二一）年二月一五日付で、ベトナムの西貢（サイゴン）にいる惠先から、台湾の美江にはがきが届いた。この知らせを受けて、家族や親戚が集まり「戦死しなかった」惠先の生存をみんなで喜び、一日も早い再会を待ち望んだ。しかし美江と家族は、間もなく無事帰ってくるという高揚した気持ちと期待感はあるものの、一抹の不安がつきまとうのであった。

日本の敗戦後、台湾は日本にとって外国となり、南西諸島海域は米占領軍に抑えられ、日本からの台湾行きは厳しい状況にあった。復員してくる場所はおそらく九州のどこかの引揚港に違いない。とすれば、こちらから日本へ引揚げる準備を急がなければならない。

このはがきをよく見ると、敗戦国日本軍の軍事郵便として検閲済とされ、敗戦から半年後に送られている。連合軍傘下のフランス軍捕虜収容所と思われるフランス語スタンプが押印されている。こうした「残務処理」は武装解除され解体された旧日本軍に任せられ、さらに東京在のＧＨ

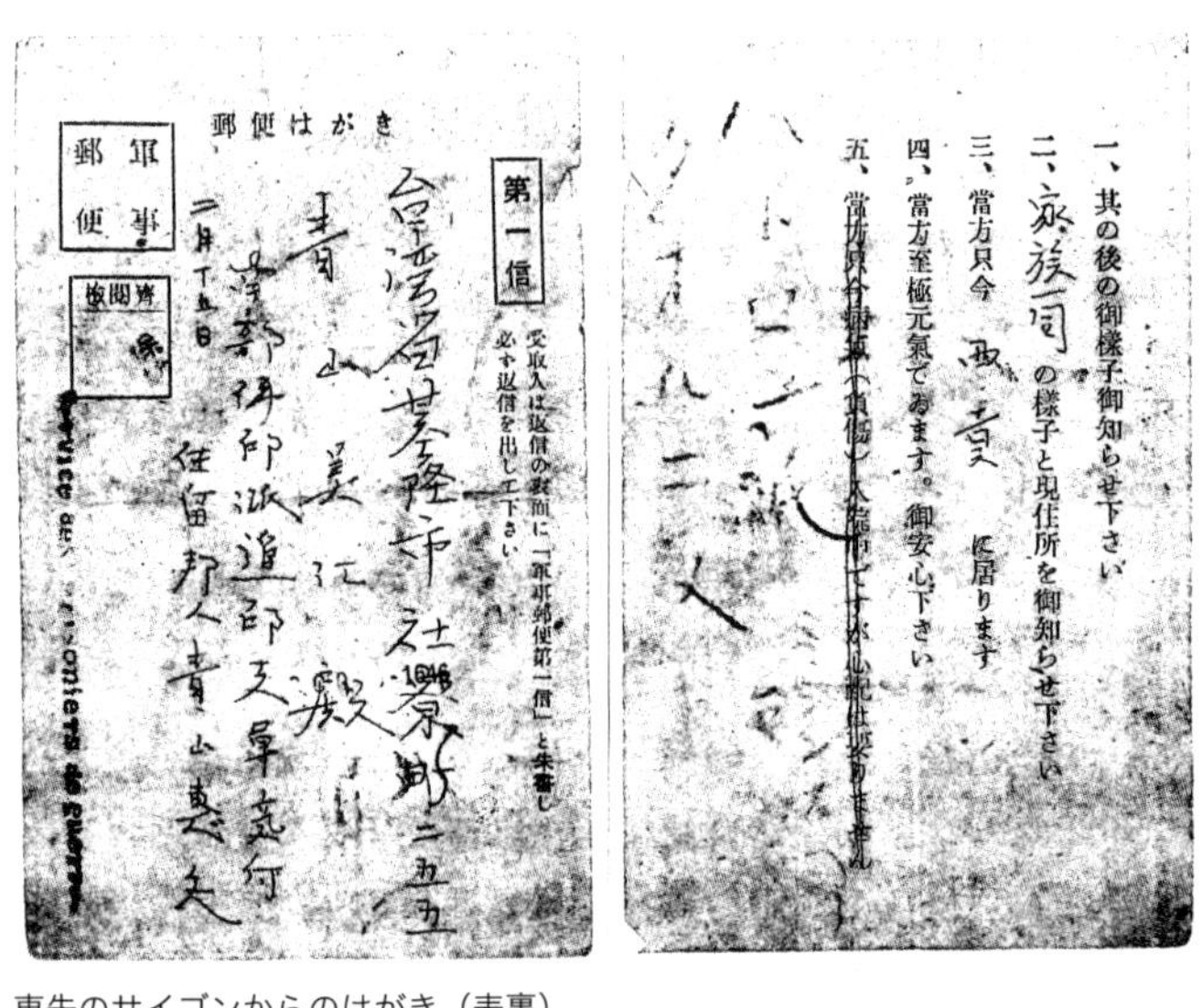
一、其の後の御様子御知らせ下さい
二、家族一同　の様子と現住所を御知らせ下さい
三、當方只今　　　　に居ります
四、當方至極元氣であます。御安心下さい

はがき
軍事郵便
第一信
受取人は返信の表面に「軍事郵便第一信」と朱書し必ず返信を出して下さい
検閲済

恵先のサイゴンからのはがき（表裏）

Q（連合国軍最高司令部）機関の検閲印もあることから、サイゴンから東京を経て台湾へ送達されていたことがわかる。

二〇一四年六月初め、恵先の戦争体験を確認するために本籍地である鹿児島県の県庁援護課に「軍歴証明書」を請求した。美江や家族、親戚から、恵先はベトナムへ徴兵されたと聞いていたが、詳細を知りたくて、念のためであった。鹿児島県庁から「肉親であるつながりを証明する戸籍謄本等々」を請求され、送った数日後に「所属軍部は陸軍ではないので厚生労働省に聞くように」といわれた。

あらためて、恵先の「軍歴証明書」を厚生労働省援護局・業務課調査資料室へ請求した。すると恵先の任地先は、ベトナムではなく、なんと中国の海南島となっている。厚労省から届いた文書は三行のみであった。

旧海軍の履歴について（回答）
昭和一九年八月二五日　海南海軍特務部業務ヲ嘱託ス
年　月　日　不　詳　嘱託ヲ解ク

家族から聞いてきたことは、惠先が戦地へ行ったのは「息子が生まれて三、四か月後、陸軍に召集された」とのことであった。しかし厚労省の回答は昭和一八年ではなく一年後、しかも海軍特務部嘱託となっている。なぜこうなのか、全く解せないことである。

鹿児島からの便り

サイゴンからの知らせから三か月後の五月、今度は「鹿児島に着いた」という復員、帰還したというはがきが届いた。
「五月十一日鹿児島着……。一日も早く引き揚げて下さい」
鹿児島や与論の親戚筋からの話では、惠先は佐世保浦頭引揚港に復員し、鳥栖と大牟田に数日

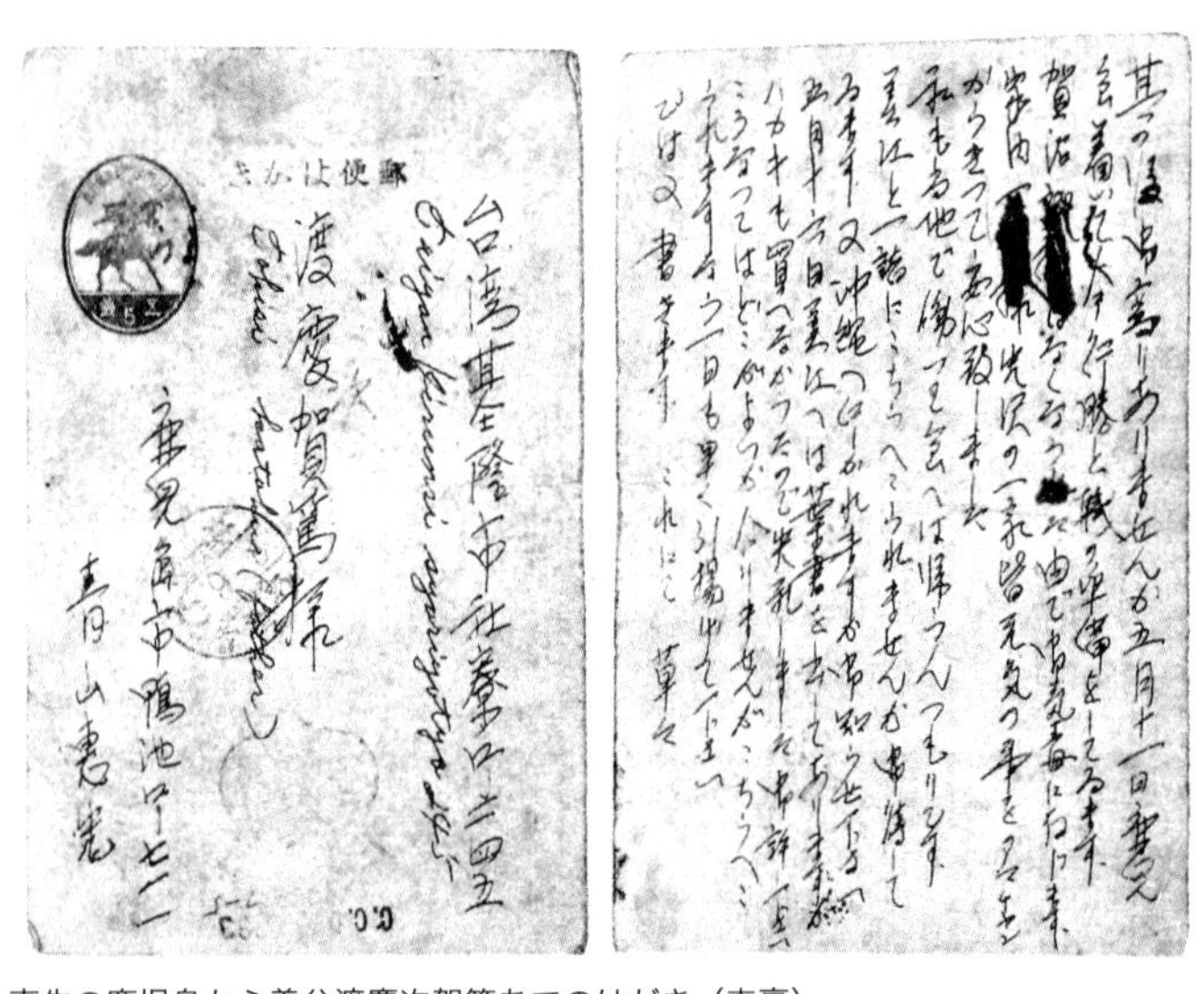
恵先の鹿児島から義父渡慶次賀篤あてのはがき（表裏）

間滞在。それから鹿児島へ向かい、鴨池町の従妹古市きえの家に滞留、居候したのであった。

　はがきからは、今後のことを思案している様子が伺える。郷里の与論島へは行かず、そのまま鹿児島で滞在したい気持ちが記されてある。一方台湾の美江は、なかなか引揚船に乗せてもらえず焦燥感に包まれるばかりであった。

　そのころ台湾から日本本土への引揚者は、大陸から来た国民党政権の下に日僑管理委員会という機関が置かれ、旧総統府の職員が留用され、その服務にあたっていた。日本人の引揚げは、一九四五年一二月二五日の軍人属関係五一二名から始まり、本格的な第一次計画は三月二日～四月二九日と設定。軍人軍属、民間人合わせて八万五千人であった（大川敬蔵『歴史としての台湾引揚』台湾引揚研究会、二〇〇八年）。第二次は間をおいて一〇月～一二月に実施され、母・美江とその妹しづ、そして私の三人は、その中の最終便一二月末の佐世保浦頭行きと指定され、恵先のはがき到来から実に八か月も過ぎていた。

米軍の軍事占領下にあった沖縄への引揚げはかなり遅れ、日僑管理委員会の記録には含まれていない。沖縄出身の引揚者は「琉僑」と称され、日本本土出身者の「日僑」とは明確に区別されていた。母・美江と私は本籍が鹿児島県大島郡与論村のため「日僑」、社寮島に居住する美江の実家の渡慶次家は、本籍が沖縄県国頭村のため「琉僑」であった。この本籍の違いが後々の人生に大きなインパクトを与えることになる。

### 台湾引揚げ

引揚げを待つ数か月間、社寮島琉球人集落に住む沖縄及び奄美出身者たちの生活環境は激変し、困窮と焦燥の苦しみにまみれていた。ここ数年来、和平島海浜公園にある社寮島外萬善堂廟へ行く度によく出会う日本語の達者な林近枝ばあさん（八六歳）は、少女時代に見たそのころの琉球人の様子を語ってくれた。「戦争が終わって、山（疎開先）から戻って来たリキュージン（琉球人のこと）かわいそうだったよ、空襲で家も焼けて、赤ちゃんオンブして助けてくださいと…、ウチも大変貧乏だけど母さんは魚や野菜、卵などを分けてあげたよ」

この街でも日本敗戦と同時に支配、被支配の立場が逆転し、一部には暴力や略奪行為もあったが、社寮島の台湾人たちはほとんどが琉球人に優しくしてくれた。戦場へ駆り出された恵先がいない美江たちの暮らしは、造船所で警備員に格下げされた賀篤と郵便局臨時のしづが働く渡慶次家に頼っていた。

引揚げの際、手荷物が制限されている日本人は、基隆駅周辺や社寮島八尺門駅前の路頭で貴重な家財道具などを持ち出して頭を下げ、懇願しながら廉価で売り出していた。また、多くの元日本兵は、台湾人指揮のもと、空襲で瓦礫となった街や大通りの片付け清掃作業で生計を立て暮らしをつないでいた。

台湾中南部から基隆港に押し寄せて来た日本、沖縄への引揚者は、港湾倉庫で数か月も待機を余儀なくされ、栄養失調や病疾患にかかる人も後を絶たなかった。社寮島に居住する母たち家族は、自分たちはまだましなのだと気持ちを落ち着かせるのであった。

一方、社寮島は辛うじて、したたかなヤミ船・密貿易の拠点となり賑わっていた。官憲の目を盗んで金目の物資を船倉に積み込み、あるいは国府軍官憲にワイロを握らせて引揚船もヤミで繰り出すなど与那国島を頻繁に往来していた。

赤嶺守編『「沖縄籍民」の台湾引揚げ証言・資料集』より、二人の証言をみる。

与那嶺進（一九二四［大正十三］年生、与那原町出身）

最初は沖縄に帰れると思って、帰る準備をしていた。でも結局帰れないでしょう。みんなで町へ出て作業をした。町はね、爆撃されて瓦なんか散らばっているでしょ。その瓦のセメントを落としてね、台湾人から金をもらうわけさ。自活のために。日本兵は捕虜みたいに集められているから。戦後、台湾人から暴行を受けたりとかはなかったよ。非常に親しかった。でも町に行ったらやっぱりそういう話は聞いたよ。

ただ、一度だけ汽車に乗った時に、（略）中国の憲兵のような人が拳銃を突きつけてきた。私が暴れる人じゃないかって調べていたんだろうね。（八七頁）

宮里朝光（一九二四〔大正十三〕年生、那覇市出身）
本土出身の兵士や民間人は、昭和21年4月末までに留用者以外はすべて引揚げることになって、彼らを輸送したのが我々琉球官兵なんですが、その業務のさなか悲しい出来事も起こりました。次々と本土へ日本兵を送っていく中で、我々沖縄出身兵はいつ沖縄に帰れるかも分からないでしょう。しかも、風のうわさで「沖縄はみな玉砕した」という話も聞こえてくる。（略）待機している引揚げ船の甲板で、首をつって自害した者もいました。（略）家族はもうみな死んでしまっているかもしれないと悲観してしまったんでしょうね。（一三五頁）

琉球官兵とは、日本敗戦を受けて大陸から来た中華民国（台湾）国民党政権軍の訓令によってつくられた日本・沖縄へ引揚げる軍人軍属、民間人の帰還業務を行なう琉球籍官兵集訓導大隊、略称琉球官兵とよばれる沖縄出身兵士二千人の組織である。
だけであった。
一九四六年四月までに軍人をはじめ本土出身者の引揚げはほぼ終了し、旧日本兵は沖縄出身者だけであった。兵士は引揚げを待つ人々の世話や業務等々に尽くし戦火に打ちひしがれた人々の心を癒し献身的な業務を担ったという。沖縄県人は米軍占領軍の帰還許可が許されず、ようやく一〇月に実施され、最後の引揚船は一二月二六日久場崎引揚港に到着、琉球官兵は解散した。

一九四五（昭和二〇）年一一月、宮古・八重山行きのヤミ引揚船が基隆沖で百数十人余の犠牲者を出すという、痛ましい遭難事故が起きた。「栄丸遭難事件」といわれ、七五年経った今でも（犠牲者の）確定した数字は分かってない。この時期の季節風（ミーニシ）が突然荒れ狂い、大幅な定員超過にエンジントラブルが起きた上の事故であったといわれる。「ヤミ船の上に定員オーバーだから仕方ない、自業自得だ」などとも言われるが、帝国日本の国策のもとに植民地台湾へ渡り、敗戦後は個人責任で帰らざるを得なかった人たちが犠牲になった痛ましい事件であった。当時乗船していた八歳の洲鎌久人さん（八一歳、宮古島旧下地村出身）を取材した新聞記事がある。

八歳だった洲鎌さんは甲板で死に物狂いでテントの綱を掴んだ。家族も近くにいたはずだ。揺れるたび周りの人々が海中に消えて行く。（略）何度目かの衝撃で洲鎌さんは暗い海に落ちた。死ぬのか、足を突っ張った、指が岩に触れた。陸のたいまつが見えた。岩を伝い海から這い上がった。台湾人家族の土間で一夜を明かした。家族行方は分からない。どこかで救助されたはず。だが二度と家族には会えなかった。

（『沖縄タイムス』二〇一八年七月六日）

洲鎌久人さんのような悲劇的なヤミ船引揚事件に遭った人とは別に、長い間待ち続けてようやく米軍提供の公的引揚船ＬＳＴで石垣島へ引揚げた人々もいた。

与儀玄一さん（昭和一〇年生）は台湾基隆市社寮島生まれ。石垣島へ引揚げたときを次のように回想している。

（一九四六年）十二月十四日、基隆港を出発したＬＳＴには、台湾からの最後の引揚者千余名の人々が乗船していた。収容所での生活、寒さと飢え、荒波とたたかいながら石垣港に着いたのは十二月十五日午前六時であった。その日は冬だというのにあたたかく、おもと山頂が晴れ渡っていた。どの顔にも安堵と喜びの涙があった。

（『八重山毎日新聞』「日曜随筆」一九八二年一月）

第四章

# 彷徨の海

## 佐世保浦頭港

一九四六年一〇月、祖父の渡慶次賀篤は、台湾からようやく沖縄へ引揚げることができた。海難事故で死亡した長男賀次郎の遺骨を抱え、疎開先で行方不明の妻ゴセイを残したまま、賀次郎の妻・節子と娘・峰子（三歳）の三人であった。

母・美江とその妹しづ、三歳七か月の私の三人は、父・恵先がいる鹿児島をめざして、同年一二月末、ようやく引揚船に乗ることができた。船の行先は鹿児島ではなく長崎の佐世保であったが、それはどうしようもないことであった。航海中、私は子ども同士で遊びふざけて転倒し、右足親指の爪を剥奪するというケガに見舞われ、その痕跡は今も残っている。

引揚船は、弓状に連なる琉球弧を北上し、途中奄美の名瀬に立ち寄り、五、六日かけて年明けの一月初旬、佐世保浦頭引揚港へたどり着いた。しかし、船内に疫病患者が見つかり、一週間余りも港湾沖合に待機させられた。

　惠先がベトナムから台湾の美江へはがきを送った前年五月から、すでに八か月も経っていた。当然のこと、美江は惠先が鹿児島にいると確信しての引揚げであった。そのはがきには「早く鹿児島へ引揚げなさい」と書かれていたのだから……。

　浦頭引揚港は、正式には佐世保引揚援護局浦頭検疫所といい、佐世保港の一つとして針尾島の一角にあった。そこには日本敗戦後、「満州」、中国大陸、朝鮮半島、東南アジア、南洋諸島、そして台湾も含めた海外から、軍人軍属と民間人一四〇万人が上陸した。博多港と並ぶ全国一の引揚者数であった。上陸と同時に身体中にＤＤＴが撒かれ検疫を受けながらも、なにはともあれ祖国に帰ったという安堵感に浸った場所だ。

## 引揚者収容所

台湾引揚げから六四年後の二〇一〇年の大晦日の朝。私は、連れ合いの憙佐子と佐世保浦頭港をたずねた。当時三歳であった私には記憶のない場所である。

　ここへ来た動機は、父と母と幼かった自身の過去をよみがえらせ、父の事件遭遇までに何があったのか、道のりを探り得て、事の真相の一端を掴みたい気持ちに駆られたからであった。

　そのころといえば、父の失踪宣告が確定したあと、二〇〇七年に戦後初めて台湾に行き、二・

二八事件追悼式典にも参加したが、それから四年近くも経つというのに、父失踪の究明が何も進展してないというもどかしさを抱えていた。

　雪が降りしきる早朝、ハウステンボスのホテルからタクシーに乗って浦頭引揚港へ。一五分ぐらいで到着、あたりは真っ白な雪景色だ。

　埠頭入口に大きな石柱が立ち「引揚第一歩の地」と記され、港内に入ると思ったより小さな港だ。このエリア一角だけが現代から取り残されている感じで、雪景色も手伝って精気を失った光景に見える。しばらく立ち尽くしていると、埠頭から突き出した古めかしい桟橋がぼんやりと現れてきた。細長い橋げたが数十mはあろうか、沖に向かって続いている……。失ったはずの記憶が蘇ってくるようであった。

　父・惠先は一九四六年の四月末から五月初めごろベトナムから復員した。戦地から帰って来た惠先、台湾から引揚げて来た美江は、八か月の違いはあるが、引揚げた場所は同じ、この佐世保浦頭引揚港であった。

　横なぐりの吹雪では立ち去るよりほかなく、遠くへ目をやると小さな浦頭港の背景には佐世保軍港が大きく開け、米軍艦船と自衛艦が黒ずんで浮かんでいた。浦頭港埠頭の山手入口には記念碑や資料館などが建つ平和記念公園がある。まず目に入ったのは当時全国的に流行った田端義夫の「かえり船」の歌碑だ。運転手さんが「波の背の背に、ゆられてゆれて〜」と口ずさんでくれた。資料館は年末年始の休館日だそうで、運転手さんは慣れた口調で周辺の針生島のこと等を説明してくれた。「昭和一六年一二月八日、あそこに見える針尾無線塔から、『ニイタカヤマノボレ、一二〇八』という信号を発信した場所だ。太平洋戦争の始まりを告げる歴史的な島です」

浦頭港から七㎞離れている宿泊先のハウステンボスは、かつての引揚者待合収容所であった。浦頭港で上陸後、山野のけもの道と田畑のあぜ道を、家財道具を担ぎ、幼子や病人を背負いトボトボ歩いてたどり着いた場所である。橋を渡って西側一・五㎞先には帰還者各々が郷里へ帰って行く「帰郷列車」に乗った南風崎駅がある。南風と書いて「はえ」とよぶ難読駅名の読み方のユニークさで知られ、明治の「鉄道唱歌」にも歌われた。南風という地名、沖縄とは関係ないだろうか。

六四年前、台湾基隆社寮島は既に日本ではなくなり、別々の日に、同じ港に引揚げて来た恵先と美江は、またまた漂流者になってしまった。恵先は、復員したものの帰るべき場所には戻れなくなってしまった。生まれ故郷の鹿児島県与論島には帰る気にはなれず、近くに住む身寄りの従妹・古市きえ家族がいる鹿児島へ向かうしかなく、先はまだ見えてなかった。

## 恵先はいなかった

鹿児島は恵先が台湾の美江へはがきを送った場所だ。佐世保浦頭港に引揚げて、引揚者収容所で待機し南風崎駅から汽車に乗って、一九四七年二月末、鹿児島の古市家にたどり着いた。すると、戦地から復員・帰還し行き先を考えあぐねていた青山一族の男たちが数人も居候していた。

現在、鹿児島に居住する従姉の西村清子がいうには、古市家は郷里の種ヶ島へ引っ越し、住んでいた鴨池町は様変わりし、当時の面影は全くないという。当時は動物公園があって桜島が良く見える場所であった。終戦直後の厳しい生活条件下、一族はここに寄り集まって二〇人余の大家族を形成し、厳しい暮らしであったがみんな明るかったという。

私の記憶にあることは、桜島の噴火で鼻の中まで灰色に染まったことと、食事時間になると薩摩弁の「たべたもんせ〜」と言ってみんなを呼び集めたことぐらいである。

しかし、そこにいるはずの惠先の姿はなかった。きえによると「(惠先は) あなた方を迎えに台湾に向かった」というのだ。惠先と共に古市家に居候していた惠先の従弟・青山行勝は、「台湾行きの船があるというのでいきなり乗って行った、引き留めても聞かなかった。米軍に占領された琉球諸島の海は普通の船では行けない、おそらくヤミ船だろう」と述懐していた。行勝はかつて基隆要塞司令部にいたので情報には詳しかった。

それから二年余り経った。しかし惠先は戻って来なかった。

居候生活が心苦しい美江は和裁と大根漬け売りを、しづは市内中心街の天文館あたりの郵便局でアルバイト、少しばかりでも居候家計の足しにした。美江は五歳になった私の学校のこともあり、結局、沖縄の実家に行って、惠先を待つことにした。

## 沖縄へ

一九四九（昭和二四）年の秋ごろ、美江としづと私の三人は鹿児島から沖縄へ向けて、米軍の監視下にあった北緯三〇度線を越え、奄美名瀬、沖永良部をつなぎ渡り、恵先の故郷与論島で一週間過ごした。それから、恵先の兄先則の計らいで沖縄島東海岸の平安座島行きのポンポン船（漁船）に頼み込んで、途中、国頭村の東海岸に寄ってもらい、伊部集落に上陸した。切り立った山間が迫り、わずかばかりの入り江に位置する小さな集落である。

伊部集落では、先則叔父の漁仲間という家に一泊し、村の青年たちに加勢してもらい国頭連山を西海岸へ四里（一六㎞）ほど横断。上り下り六時間余りかけて、辺土名の実家にやっとたどり着いた。山道で兄さんたちに肩車やおんぶをされたことが蜃気楼のように瞼に浮かんでくる。

当時の国頭村辺土名の幼稚園児たち（1949 年）

祖父賀篤の家には、台湾で事故死した賀次郎の妻子二人と、夫が戦死した従妹母子三人が同居していた。そこに鹿児島から来た三人が加わって、祖父と女、子どもだけの一〇人余の所帯になった。

## 隠蔽されたブロックハウス

祖父の渡慶次賀篤は一九一八（大正七）年、二三歳で南米ペルーへ移民、日本商社の会計職を得てひと儲けし一九三七（昭和一二）年、郷里の沖縄国頭村に帰国。瓦葺き三〇坪、畳座敷に障紙張り、縁側は硝子張り、コンクリートの囲み塀という村でも有数の〝邸宅〟を造った。それから三年後の一九四〇（昭和一五）年、台湾基隆に移住した。賀篤にとってこの間、仕事にも恵まれ、長女の美江も結婚し初孫もできて、順風満帆の人生と思われた。しかし養子長男の賀次郎が、基隆沖で漁撈中に爆発事故で死亡。戦雲も怪しくなり、軍事要塞基地があった基隆は真っ先に米軍空襲に遭う。その後、家族そろって九份に疎開するのだが、妻のゴゼイはその直後、行方不明になった。

賀篤はこのような傷心を持ちながら、一九四六（昭和二一）年九月、基隆港から沖縄島中部東海岸の久場崎港へ引揚げてきた。しかし国頭の家に帰ってみると、誇るべき我が〝邸宅〟がなんとコンクリート納屋だけしか残されていなかった。木造住宅は焼かれ、屋根瓦は埋められて、空き屋敷の平地になっていたのだ。戦時中、村内にいた親戚が言うには、戦闘終了後、しばらくして壊されたとのことだった。建物は、一時期この地域におけるアメリカ占領軍の辺土名軍政府司令部になっていた。実はこの事実の裏に大変な秘密が隠されていた。

戦後四五年経って、渡慶次賀篤の屋敷内で米軍による日本兵捕虜虐殺事件があったという事実が明らかになる。沖縄タイムスで連載された（翻訳執筆・上原正稔　一九八九年七月一九日から一六回）「沖縄戦・トップシークレット」の第18話において、上原氏が米公文書館から掘り起こした文書の中で、屋敷内にあったコンクリート造りの納屋の写真が「ブロックハウス」として掲載され、一九四五年六月二五日、日本兵を捕らえて拷問を伴う取り調べが行なわれたことが詳細に記述されていたのだ。事実が明らかになることを恐れた米軍は、捕虜虐待の際に司令部棟であった渡慶次家住宅を破壊し、地中に埋めたのだった。

## 与那国からの伝言

一九五〇（昭和二五）年の新正月も過ぎたころ、社寮島で母・美江と親しかった山田のカミーおばさんが訪ねて来た。沖縄島最南端の糸満から最北端の国頭まで、いくつものバスを乗りついで一日がかり。カミーおばさんは二年前に基隆から石垣島に引揚げていたが、最近郷里の糸満に戻ってきたという。おばさんは我が家に泊まり、二日目の朝、石垣島に引揚げていた恵先の従兄にあたる青山先澤の妻ミネから、大事な伝言を頼まれたというのであった。

祖父の賀篤は、私を傍に座らせた。カミーおばさんは重い口を開いた。

父・惠先は台湾の基隆社寮島で、蔣介石の軍隊に捕まれ縛られ無理やり連れて行かれた。おそらく千畳敷（社寮島東北端の海岸）でやられただろうという。これは惠先と一緒の漁船に乗り、命からがら逃げて来たという与那国島の小橋川という男がミネに伝えてきたことだ。ミネからヤンバルへ行って美江に伝えてほしいと頼まれた。

彼女は、小橋川が目の当たりにした惠先が拉致されていった状況を、ミネから聞いた通りつぶさに話した。その場の美江や賀篤の表情から、子ども心に、悲しくてこわい気持ちになっていた。

山田のカミーおばさんが糸満へ帰った後、母は床に伏したまま数日も起き上がれないでいた。母のまわりには、惠先の話を聞きつけた親戚や友人たちが、入れ替わり立ち替わりやってきて、母に寄り添っていた情景が今も頭にこびりついている。

周囲から深い同情を寄せられた美江は、しばらく経って落ち着きを取り戻し、事件当時、惠先と一緒だったという与那国島の小橋川に手紙を書いた。しかし、先方からの返事は来なかった。しびれを切らせて小橋川の親戚が那覇にいるという噂を聞いて探してみたが、無駄だった。石垣島の青山ミネにも手紙を書いたが、山田のカミーおばさんが言った以上のことは何もなかった。惠先のその後の消息はそれから何も分からないまま、家族は暮らしていくことになる。

それから六四年後の二〇一四（平成二六）年、小橋川を知っているという夫婦が現れた。台湾二・二八事件の犠牲者家族として一緒に取り組むことになる与那国島出身の犠牲者仲嵩實の長女徳田ハツ子さんと夫の金一さんであった。

「姓は小橋川、名は分からない。周りから〈グラー〉といわれていた。漁船に乗り基隆を行き来していた。二〇年余り前に石垣島で亡くなったと聞いている。長女は石垣島で結婚して住んでいるらしい、女きょうだいが那覇に住んでいるらしい」

それからすぐに小橋川という人の家族に会うために石垣へ飛び、当地在住の友人石堂徳一さんの人脈を借りて探しあて、長女と会うことができた。

「グラーというのは俗称で、父の名は長助といいます、亡くなったのは一九八〇（昭和五五）年、五七歳でした」

仏前に手を合わせたいので、何処にあるか教えてくださいと言うと、「ここにあります、どうぞ」と、嫁ぎ先であるこの家に祀ってある仏壇に案内していただき、線香をつけてくれた。「台湾二・二八事件や台湾のことは父から全く聞いていません。写真もないです」と語った。その場で、那覇や与那国に住んでいるという長助さんの親戚筋のことも教えていただいた。

一年後、台湾での勝訴判決を受け、石垣島の長女へ天国のお父様への言葉を添えて一筆啓上、御礼をかねてあらためてご冥福を祈った。

「小橋川長助さん、あなたが伝えてくれたおかげで、父恵先の無念を晴らすことが出来ました。ありがとうございました」

話を再び、鹿児島から沖縄に移住してきたころに戻ろう。

父・恵先のことが日々の暮らしに追われて遠ざかってゆくうちに、母・美江のまわりでは、ミボージン（未亡人）とかサイコン（再婚）という言葉が飛び交っていた。七、八歳の子どもながらに今でも記憶している。同居していた渡慶次家の長男嫁が再婚したこともあってのことだった。そのころ、祖父の賀篤は、美江のことを思い、「行方不明」になった恵先の始末のことで役場で戸籍謄本を見ながら右往左往していた。失踪宣告は七年経過しないと申立てることができないために、思案していたのであろう。

## サバニで与論島へ

一九五一（昭和二六）年八月、小学校二年生の夏休み。国頭村辺土名集落から北へ四〇㎞余りも離れた与論島から、叔父の先則が焼玉エンジン付きの大きなサバニに乗ってやって来た。

先則は私を見るや否や抱き上げて何か吠えるように叫んだ。一夜を過ごし祖父賀篤に向かって、「恵ちゃんも一緒にユンヌ（与論）へ行こう」と誘った。先則の姿は、筋骨隆々の真っ黒に日焼けしたウミンチュの姿、たくましく腕っぷしも強そうだ。写真でしか見たことのない父・恵先の姿を思い浮かべた。

翌日昼前、私と祖父は、母たちに見送られて穏やかな凪の海を与論島へ向かった。うるさいエンジン音の中でも祖父と先則叔父は大声を張り上げて語り合っていた。凪とはいえ木葉みたいなサバニだと、やはり前後左右に揺れ、とうとう船酔いが始まった。先則叔父が横になれと指図するが嘔吐が始まり、祖父が背中をさすりなだめてくれた。辺戸岬の近くで、エンジンが止まってしまった。ロープを何度もクルクルかき回してもエンジンはかからない。すると、あきらめた先則は釣りを始めた。私の手にテグス糸を握らせ、一緒に引揚げると重たい大きいミーバイ（ハタ）が釣り上がった。海には縁がない賀篤も先則にならって釣り始めている。一時間余りも漂流しただろうか、先則がエンジンロープを振り回すと、今度は一発で作動して轟音を響かせた。

しばらくして皿を逆さにしたような平たい与論島が浮かんで見えてきた。一直線に与論島へ突っ走り麦屋集落の前浜海岸にたどり着いた。渚では大勢の島人が迎え、口々に「いさきぬふぁー（恵先の子）が来た」とかわるがわる抱き上げられた。それから数日間、珍しいとんがり帽子の茅ぶき屋根、麦みたいにヒゲの生えた稲穂、そして二宮金次郎の銅像等々、珍しい風物と出会い、島の少年たちと戯れた。黒糖づくりのサーター車の牛追いをしたり、サバニに乗って釣りをしたり、ハブのいない島の野や海を駆けめぐる等々、晴れ晴れとした心地良い日々がつづいた。

この間、島の海岸近くで父の墓をこしらえた記憶がある。砂地に素手で穴を掘り、浜辺から拾った石ころ数個を入れた小さな甕を穴の中に据え置き珊瑚礁の石を蓋にしてかぶせた……。ずっと後になって、そのことをいとこの吉雄に聞いたところ、やはりそうであった。

墓地は、沖縄で見てきた堅固な亀甲墓や破風墓のイメージとはまるで違うのだ。海岸沿いの真っ白な広い砂丘の上に、三、四坪ぐらいを珊瑚礁の大きめの石で囲んで、死者一人ひとりの骨壺が頭を出して埋めてあるだけである。砂丘の向こう、南の海原に浮かんで見えたのは沖縄島であった。その墓は子どもでもつくれるほどの手づくりの簡素なものであった。現在、当時の姿は少し見られるが、ほとんどが全国どこにでもあるような近代的な立柱型の墓地になっている。

与論島からの帰りは、お土産としてヒヨコ数羽と子豚二匹を貰った。沖縄とは違って地上戦の無かった与論島では戦後も家畜がいたのだ。辺土名までの帰りは、賑やかな鳴き声が海原に響きわたる騒々しい海路となった。

## 近くて遠い島

沖縄と奄美は、日本敗戦後の米軍占領統治下の複雑な戦後史を共に駆け抜けて来た。占領軍に抑えられ、国には切り捨てられ、勝手につくられた「国境」で分断され、生きとし生ける権利が踏みにじられた。

我が家の仏壇には、母の実家渡慶次家と青山家が仲良く鎮座し、沖縄の伝統行事であるシーミー（清明祭）には、ヤンバルの渡慶次家の門中墓で行なわれる一族の墓前祭に娘家族の婿や孫を総動員して参加している。五、六歳から高卒まで過ごし、社会人になってからは、幼なじみの模合（定例の交流会）や同郷の郷友会の世話役を務めたりもしてきた。

与論島は、長い間近くて遠い存在になっていった。奄美諸島は一六〇九年の島津の「琉球入り」までは琉球王国の版図にあった。しかしその後の実態はというと、政治・経済は薩摩に支配されても、言語、民俗、文化、生活習慣等々は脈々と沖縄と繋がっていた。とくに沖永良部島と与論島は、かつての今帰仁城（北山城）と歴史上の深い関わりをもつといわれる。

私は、父が生まれ育った与論島で暮らしたことはないが、一九七二年の沖縄の祖国復帰まで三度渡った。初めは五歳のとき、鹿児島から与論島に立ち寄り数日滞在。二回目は小学校二年生の夏休み、与論の先則伯父が迎えに来てくれて往来した。そして一九五三年一二月二五日、奄美は祖国日本へ復帰、与論島と沖縄島辺戸岬の間には、北緯二七度線という「国境」が浮かび上がり、与論島は「外国」になってしまった。三度目は「国境」を越えることになった。

## 三日がかりの渡航

三度目の与論島行きは一九七一（昭和四六）年一月、二七歳のとき、琉球立法院で勤務してい

与論島民家（1971 年、筆者撮影）

たときの沖縄復帰一年前のことだ。母・美江は二〇年ぶり、私は一八年ぶり。琉球列島米国民政府高等弁務官発行の半永住許可証の所持と日本政府総理府発行の身分証明書（パスポート）を持参の上であった。受付窓口は、那覇市与儀にあった日本政府南方連絡事務所（通称「南連」）であった。

沖縄から与論島に行くには、出入国管理事務所のある奄美大島の名瀬港か笠利空港を利用する他はなかった。那覇空港から笠利空港へ飛び、龍郷村秋名の従姉中田ウスエの家で一泊、翌朝名瀬港から船に乗って瀬戸内町古仁屋港、徳之島、天候不順で途中船泊、沖永良部島を経て三日目に与論茶花港沖に到着した。しかし日も暮れてシケていたので接岸できず、沖でハシケに乗り移りようやく島にたどり着いた。北緯二七度線という「国境」が存在しなかった一九五三（昭和二八）年一二月二四日までは、エンジン付きサバ二で片道五、六時間もあれば国頭と与論を往来できたというのに、なんと三日間も要するという遠い「外国」であった。

明かりが点灯する薄暗い岸壁に上がると、「なぐりやー、なぐりやー。とーとぅ、とーとぅ」と大勢の親族が迎えに来てくれた。美江は恵先の姉モチヤや従姉妹の女性たちと涙を流しながら抱き合い、私は六年前海上大会で会った叔父としっかり手を握りあった。とんがり帽子のような茅葺き屋根がつづきガジュマルが覆う筋道をくぐり抜けると、シークワーサー（ヒラミレモン）の木々に囲まれたトタン葺き長屋の青山家があった。

親戚一同寄り集まって歓迎会が始まり、まずは島の儀式という「与論献奉」という地酒の回し飲みで迎えられた。数杯も飲むうちに一時間ほどでダウン、翌朝は子どもたちからからかわれる始末であった。

翌朝早く、叔父の長男で同年のいとこ吉雄にたたき起こされ、墓参りに行こうと誘われた。家から十五分ぐらい歩いて行くと砂丘と青い海が広がり、はるか先に沖縄島が浮かんでいる。小二の八歳のとき以来一九年ぶり、その当時のままである。小高い砂丘は百基余りの墓が碁盤の目のように配置され、人工物は一切なく自然そのもので原初的である。そのようなお墓のありように、何かしらの心地よさを感じた。

墓地の東端に三階建てぐらいの高さで屏風のような岩崖が連なって切り立ち、洞穴が大小無数に顔をのぞかせている。

母と私は与論に来る前に、父・恵先の「骨壺」を沖縄へ移すことを伝え、先則叔父の了解を得ていた。墓で手を合わせた後、いとこの吉雄は砂丘墓地の背後にある小高い森を案内した。険しい岩壁の下に入り、草木をかき分けて行くと、洞穴が大きな口をあけ横並びに現れた。風葬洞窟である。

案内された洞窟は高さ一二〇cm程の石垣で遮られ、懐中電灯を照らして、大人の背丈でやっと、薄暗い内部が見えるぐらいだ。洞内の出入口は幅五〇cmぐらいの板製ドアになって、大人一人が出入りできる大きさだ。洞内に入り奥のほうへ目を凝らして見入ると、しゃれこうべ、胴体、手足はそれぞれ別々に安置されてきれいに並べられている。吉雄は「ここはかつての風葬跡で我々一族の墓だったところ、百年以上前のそのままの姿だ。我が家族は戦時中ここに避難したらしい」という。

『与論町史』では、「明治一九年には風葬は禁止され埋葬をすすめたが、島民たちは祟りが来るなどとなかなか応じず、明治三五年までは続いた」と記されている。吉雄は「我々のひいひいおじいさんもここにいる」という。いわゆる高祖父にあたる人だ。役場で調べてみると古い除籍謄本にその名が出て来た。曽祖父は先盛（さきもり）といい、天保七（一八三八）年生まれ、明治三八（一九〇

与論島青山家の墓。左から二番目の石塚が惠先の「骨壺」（1971 年、筆者撮影）

四）年死亡と記され、その親である高祖父の名前は惠増（かずま）とあり、生年月日は記されてないが文政時代と思われる。そのような先祖たちがこの洞窟に眠っているのである。

二日後、帰路につく前に再び墓地に来て、沖縄から持って来た焼締めの小さな壺に小石を移し、沖縄が見える波打ち際から母と一緒に小石を拾い、海水で清めてつけ加えた。

現在は、那覇市の寺の墓堂にある惠先の「小石の骨壺」は、与論島の小石に加えて、台湾基隆社寮島の小石と一緒に納め、美江の骨壺のとなりに並んでいる。

その旅から数年後、元琉球大学地理学教授で民俗学者の仲松弥秀先生から与論島調査に同行してくれと言われ、客船に乗って四泊五日の旅をしたことがある。青山家に投宿して、風葬跡、墓地、地質、伝承等々の実地視察、聞き取りを行なった。「歴史は歩かなければわからない」とおっしゃり、片手にテープレコーダー、片手にカメラを持ちスタスタと闊歩する。先生は一九〇八（明治四一）年生まれで父惠先と同年生。青山家の墓を「素朴な原初的な佇まいだ」、風葬跡には「琉球弧の島々のようすが良く残っている、この場所は誠に神々しい」と語り、真っ白な渚の小さな石ころを数個ポケットにおさめ、さいごは琉球王朝に逆らい滅ぼされた島の英雄「按司根津栄（にっちぇ）」の祠をたずねて島を離れた。父の故郷与論島へ渡った旅はどれも私にとって貴重な体験となっている。

## 「ルテナン」米軍隊長のこと

小学校六年生のころ、母は米軍オクマ保養地（通称「オクマビーチ」）という米軍基地でメイドやレストランの皿洗いなどをしていた。やがて母は米軍基地内の部隊長一家のメイドに採用された。隊長の名前は、通称「ルテナン」といい、共働きの妻と五、六歳の息子の三人で暮らしていた。隊長は基地内でも地域でも鬼隊長といわれるほどこわもての大男だった。しかし、当時茅葺きの我が家に回って来て菓子を持って来たりとたいへん可愛がられ、母と祖父と私は隊長家のクリスマスイブにも招かれるほどであった。ジャーニーという男の子は、母の影響で、「ニヘーデービル（ありがとうございます）」などと片言の沖縄方言も話せるようになって、私とはトモダチになっていた。

「ルテナン」という通称は、実は軍隊用語の階級で、中尉・少尉・大尉などの尉官（lieutenant）のことで、周辺住民はそれを名前として扱っていたのだ。

一年ぐらい経ってルテナン家族は、母国アメリカへ帰国することになり、隊長は我が一家を隊長宅に招き送別会をしてくれた。そのとき隊長夫婦は、母に向かって、私たちの手助けにと毎月一〇ドルを送金するという約束をしたのであった。当時の一〇ドルは、母の月給の半分ぐらいの価値はあったと思う。

隊長一家の帰国後まもなく、母は同基地内のスナックバーの皿洗いをするようになっていた。アメリカにいる隊長からは手紙も一緒に毎月現金が送られた。母もお礼の手紙を送るなど、高校入学時を挟んで三、四年ぐらいは続いただろうか。

手紙の翻訳は、基地内で通訳を務めていた新城さんという二〇代前半の青年であった。新城さんは隊長の帰国一年後に、隊長を追うようにアメリカへ留学した。隊長一家とは当地でも親しくお世話になったという。ある日、新城さんから母に手紙が来て、「隊長は、ベトナムへ派遣された」とのこと、そのときが隊長との別れとなった。その後の消息は今もって分からない。

米軍占領支配下の沖縄で、米軍人とこのようなつながりがあったということは、学生運動に関心を寄せていた自分にとっては複雑な思いがあった。アメリカという国・政府と個々のアメリカ人を混同してはいけないことだと自分に言い聞かせ、ルテナンの想いは人道的であり人間愛そのものなのだと思いを巡らせた。私たち親子を助けてくれたルテナンの優しさと恩義は、今も心の中に息づいている。

## 非琉球人

沖縄諸島は一九五二年四月二八日、サンフランシスコ平和条約第三条によって本土から分断され引き続きアメリカの直接占領支配下に置かれた。

一九五三年一二月二五日、奄美諸島は日本復帰を果たした。集会、デモ、署名、断食、或いは密航による東京直訴等々、中学生や高校生、老若男女の島ぐるみで、あらゆる手段を行使して激しい復帰闘争を続け念願の祖国復帰を実現させた。世にいう「米国務長官ダレスのクリスマスプレゼント」であった。

それはまた、沖縄に居住する奄美出身者にとっては、たいへんな〝副作用〟をもたらすことでもあった。沖縄島最北端の辺戸岬と奄美諸島最南端の与論島の間には、北緯二七度線という人為的な「国境」がひかれ、辺戸岬から二八㎞しか離れてない与論島と沖縄は〝国外〟として自由往来ができなくなってしまった。

『沖縄県公文書館紀要　第16号』「米国統治期の在沖奄美住民の法的処遇について」（土井智義〔日本学術振興会特別研究員ＰＤ〕）から要旨を抜粋する。

奄美返還から四日後の一二月二九日、米国民政府は指令第一五号を発令し、沖縄在住の奄美出身者に「臨時外人登録」をするよう義務化、翌一九五四年二月一一日には、米国民政府第一二五号が公布され、在沖奄美住民は在留登録が義務付けられ、一四歳以上は指紋捺印や在留許可証の常時携帯が強いられた。

米国民政府は一九六〇年二月一一日、第二次出入管理令改正八号を発令、一九五三年一二月二五日から琉球列島に継続居住している者には、『半永住』資格を認めた。


母と私は「非琉球人」となった。本籍が鹿児島県大島郡与論村であるということで、琉球列島米国民政府（USCAR＝United States Civil Administration of the Ryukyu Islands）から高等弁務官発行の在留許可証（通称）の登録・所持を強制された。村役場からの連絡で手続きは名護警察署で行なわれ、まるで犯罪者のように指紋を押印され、常時携帯を義務付けられた。

当時、奄美諸島の人々は働き口がなく稼ぎを求めて沖縄へ渡航するものが加速し、「五〇年から五二年にかけて、毎月一千名近い男女の働き手が島から消え、その数はついに五万名余に達した」（日本共産党奄美地区委員会一九八四年発行『奄美の烽火』）といわれていた。沖縄から帰島を命じられた中で、引き続き在住をせざるを得ない、或いは在住を希望する人々は、米国民政府からこのような手続きが強要されたのであった。

—1—

No. 31649
番号

Name: AOYAMA, Keisho
氏名 青山恵昭

Date of Birth:
生年月日 1943年5月27日

Nationality: 鹿児島県大島郡与論村
国籍(本籍) 大字麦屋2400番地の1

This is to certify that the above named person has been authorized by the High Commissioner of the Ryukyu Islands to reside in the Ryukyu Islands as a
Semi Permanent Resident.

上記の者は 半永住 として琉球列島高等弁務官により在留を許可されたことを証明する。

Date: MAY. -5. 1960
日付

Superintendent
Immigration Bureau
Gov't of the Ryukyu Islands

出入管理部長
並里亀蔵

半永住在留許可証（外人登録証）

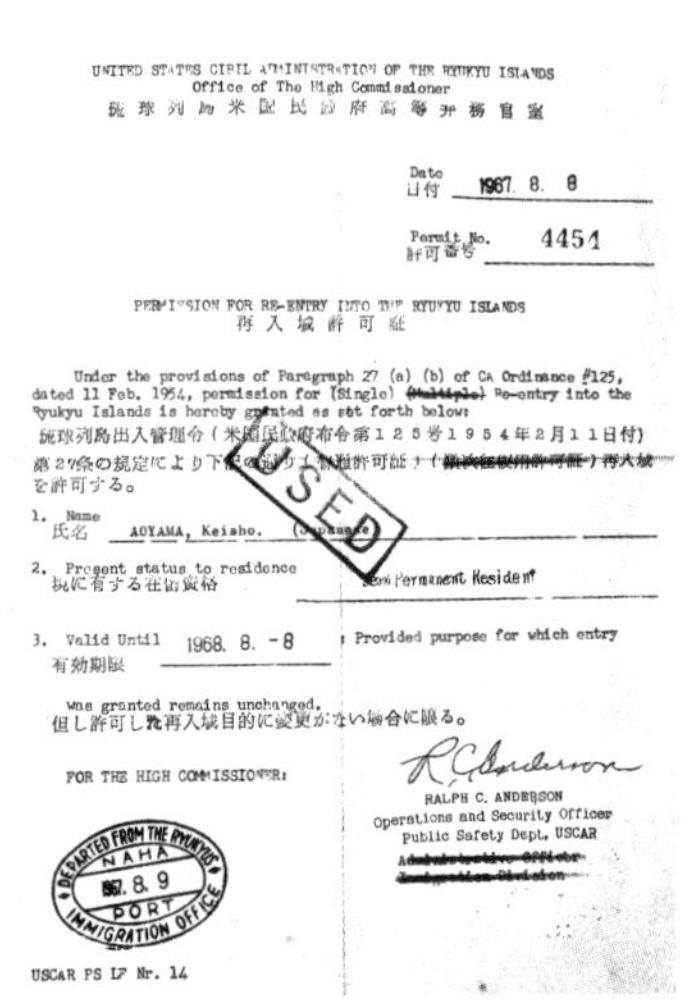
UNITED STATES CIVIL ADMINISTRATION OF THE RYUKYU ISLANDS
Office of The High Commissioner
琉球列島米国民政府高等弁務官室

Date 1967. 8. 8
日付

Permit No. 4451
許可番号

PERMISSION FOR RE-ENTRY INTO THE RYUKYU ISLANDS
再入域許可証

Under the provisions of Paragraph 27 (a) (b) of CA Ordinance #125, dated 11 Feb. 1954, permission for (Single) ~~(Multiple)~~ Re-entry into the Ryukyu Islands is hereby granted as set forth below:
琉球列島出入管理令（米国民政府布令第125号1954年2月11日付）第27条の規定により下記の通り（一回限許可証）~~（数次往復用許可証）~~再入域を許可する。

USED

1. Name
氏名 AOYAMA, Keisho. (Japanese)

2. Present status to residence
現に有する在留資格 Semi Permanent Resident

3. Valid Until 1968. 8. -8 ; Provided purpose for which entry
有効期限

was granted remains unchanged.
但し許可した再入域目的に変更がない場合に限る。

FOR THE HIGH COMMISSIONER:

RALPH C. ANDERSON
Operations and Security Officer
Public Safety Dept. USCAR
~~Administrative Officer~~
~~Immigration Division~~

DEPARTED FROM THE RYUKYUS
NAHA
1967. 8. 9
PORT
IMMIGRATION OFFICE

USCAR PS LF Nr. 14

再入域許可証（パスポート＝身分証明証）

米軍の本格的な基地建設を請負う本土資本と沖縄現地資本の需要を背景にして、軍作業で働く人は約四万人に膨れ上がっていたが、奄美諸島出身者が約一万五千人を占めていた。奄美出身者の賃金はおおむね沖縄の人よりも低く抑えられ、無権利状態の劣悪な労働条件下で日雇い的な扱いを受け、互いに身を寄せ合って日々をつないでいた。その中には与論から来た筆者の従兄姉や親戚もいた。中には戦後の終戦間もない動乱期の延長線上にあったこの時機、生活苦から「在留許可証」の手続費用が捻出できない人々もいたが、沖縄在住を容赦されず、逮捕、強制送還という事態が多く発生した。

そのような中、米軍基地建設を担う日本企業の劣悪な労働条件下で、次々と労働争議が起こった。当時、沖縄全島を揺るがした「人民党弾圧事件」はこうした背景の下で発生した。沖縄人民党の瀬長亀次郎は、米軍の強制送還の命令に従わない奄美出身者の二人を不法にかくまったという理由で「犯人隠匿罪」として逮捕投獄された事件である。

その間も米軍による「非琉球人」に対する差別布令は容赦なく降りかかった。選挙権・被選挙権は剥奪され、国費大学受験資格が適用されず、加えて不動産取得は特別な許可が課せられ、金融機関からの融資は困難を極め、納税だけは義務付けられた。

こうした中、公的な差別を背景にして奄美出身者に対する沖縄人の感情も揺らぐような状況が出てきた。犯罪が起こればオーシマー（大島人）がやったと蔑まれ新聞にも書きたてられた。例えば、「沖縄にとって（奄美）大島の分離は明らかにプラスである。（略）大島人の多くが引揚げることになれば、（略）沖縄の労働者にとってはこの上ない好条件になる」（『沖縄タイムス』社説、一九五三年八月一八日）。という記事や、奄美諸島出身者に対して沖縄全市町村長会がとった態度は、「大規模な郷里帰還を琉球政府に要請する」ということもあった（関西学院大学・中西雄二論考、二〇一一年）。

## 米軍布令差別

奄美諸島出身者としての米軍占領支配下における布令という制度上の差別は、自らも直接体験している。中学二年の時、祖父の賀篤が急死、祖父に代わって農作業や養豚等々をこなした。周囲の同年代もそうだったのでそうした暮らしは難儀とか負担とは全く思わなかった。高校入学間もないころ、軍作業の母は過労と心労で病床に伏せる日々が続いた。当時の米軍基地内の労働は雇用契約もなく欠勤即クビ給料無しであった。健康保険も無く家族に一人でも病人が出ると「田畑を手放す」という時代であった。

しかし、ユイ（結）マールといわれる共同体社会のヤンバルでは、隣近所や親戚、地域社会が力を貸してくれた。それでも無収入では生活は立ち行かず、周りの大人たちが区事務所に「救済」といわれる今でいう生活保護を懇願してくれた。しかし区事務所や役場も骨を折ってくれたが、米国民政府の下にあった琉球政府のきまりでは、非琉球人には救済できなかった。結局、働いて稼ぐより他はなく、担任の先生に退学を申し出た。先生は学費免除制度を活用しようとしたがこれも適用外であった。

そうこうするうちに、親戚や村長、先生方、地域の人々に支えられ助けられなんとか高校を卒業できた。周りからは、パイン工場や農作業のアルバイトを世話してくれたり、通学用のバス回数券やシャツ等の衣服、町屋（まちや）ぐゎー（小売店）の成功払い掛売り、肉や野菜の差し入れ等々数えきれない。当時の山川武夫村長、金城昭七先生、山入端商店のおばさん……、六〇年前のあの笑顔が頭に浮かんでくる。親しくしてくれた同級生たちの存在も忘れられない。

高校を出て半年間、区長さんの計らいで地元の字事務所の「書記」をさせていただいた。一九六二年の秋、那覇に出て来て公的なところでアルバイトをすることになった。数か月後の最終日、課長から「君、本採用するから履歴書を持って来い」といわれ、気になって「私、本籍が奄美与論ですが」というと、やはり「非琉球人」が立ちはだかりボツとなった。

琉球大学に入って三年次に上がるころ、母は再々入院することになった。奨学金等の学資支援は受けられない、学費と暮らしはバイトで何とかなるが母の医療費（当時は医療保険が無く全額負担だった）のこともあり、休学することにした。担当教授の紹介を受けて代用教員として北部の中学校に赴任した。ひと月後、役場と教育事務所から問い合せがあった。「民政府の布令で大島出身の非琉球人は公務員になれないそうだ、しかし、あんたは既に着任している、代用教員だから黙認になるそうだ」

夫を失い生家で暮らしトートーメー（位牌）を繋いで来た母は、祖父の死去後も相続する土地家屋等不動産の手続きを手つかずに放置してあった。非琉球人の不動産取得は、手続き費用も重なり複雑極まりない特別な手続きが求められていたからである。母に代って琉球政府行政主席あての「非琉球人土地取得許可証」を提出し相続を済ませたのは、祖父が死亡して一一年後の一九六九年であった。

## ヤミ密航船

父・恵先が鹿児島から台湾へ渡った手段は密航、ヤミ漁船であったと思われる。鹿児島から沖縄へ奄美諸島を島伝いに南下した母と私もやはりそうであった。そのころ、薩南諸島の口之島から北緯三〇度線以南の南西諸島は米軍の軍事占領下に置かれ、内地（本土）とは分離され、しばらくして米軍はその分断を北緯二九度線へ移動した。厳しい監視管理下にありながら、台湾から内地へつながる琉球弧を往来するヤミ船・密貿易は絶えることなくうごめいていた。

そのような中、沖縄島の北端にある国頭村の海岸域はヤミ船が漂着、あるいは中継地となって密貿易が見つかり捕まれるなど、警察沙汰になることが多々あった。一九五二年二月三日、旧正月明け、辺士名兼久の隣、桃原集落の海岸で「機船遭難事件」が起きた。翌四日の琉球新報は次のように報じている（要約）。

「［機船が座礁、乗客五二名救わる］三日午前二時半頃、国頭村赤丸崎付近の海岸に発動機船が乗り上げた。与論沖で機関故障、漂流後航行したが闇夜の進路に迷ったらしい。船客五二名、乗組員六名共全員無事救助。船籍名瀬港東生丸・木造和船三一・五屯」

寒い明け方、隣集落の「海軍屋」（屋号。元海軍曹長）の山田さんが我が家に来て祖父賀篤を叩き起こし、事の重大さを告げ、乗組員六人を泊まらせて欲しいと頼んだ。山田さんは台湾で巡査をしていた知り合いで、当時五〇代前半だった。祖父は即了解。家族じゅう起こされ、隣の親戚も巻き込んで大騒ぎになった。結局、船客五二名は集会所に泊まり、翌朝、辺士名から路線バスで那覇へ向かった。

乗組員たちは、船の修復完了までは船を出すことが出来ず、我が家に数日間も滞留することになった。山田さんは賀篤に密航ヤミ船であることを告げた上で了解を取り、乗組員には「この屋敷から一歩も出るな」と厳重注意していた。子どもの私は若い船乗りに可愛がられ、小遣い銭を貰い、酒や煙草の買物を頼まれて辺士名の街へお使いに行った。

しかし数日後、突然、警官一〇数人が来て乗組員六名全員が引っ張られて行った。当時国頭村には辺士名警察署が置かれていた。我が家からは田んぼの中を一直線に伸びる道を東へ三百mぐらいのところに見える警察に連行されていく男たちの後ろ姿が、子どもながら不憫に思えてならなかった。

賀篤と美江は台湾や鹿児島を往来していたという彼らに対して、他人事ではなく恵先の友人のように接していた。後日、船長から賀篤に「何かあったらこれを」と渡されていた風呂敷包みを開けて見ると円筒の大きな「羅針盤」が入っていた。祖父は連行された船長がいつか戻って来るかも知れないと、羅針盤を木箱に入れて床の間に大事に置いてあった。賀篤が亡くなり高校を卒業して那覇へ出る際、那覇泊港でカジキ船を経営していた恵先の従兄先澤へ渡し、羅針盤は数年ぶりに現役復帰を果たした。

その後〝難破密航船〟の男たちは強制送還されたと聞いたが、消息は分からない。

沖縄島最北端にある国頭村は、密航事件がある度に子どもの間でも話題になった。当時の米軍物資を獲得する〝戦果〟にも似たところがあって、犯罪としての認識はあまり無かった。非合法の物品取引を目的とする密航密貿易とは別に、密航そのものだけの、非合法の渡航で情報伝達を目的とする者、あるいは何らかの理由で本土へ密航するという人々も多々あった。国頭に居住する数少ない奄美出身者や地元ウミンチュのなかには、その手助けをする人もいて、与論との往復で捕まったりもした。彼らの姿に恵先の残像を見ていた賀篤は、私を連れて警察署へ行き、自作のゴマ菓子と黒糖を持って面会差し入れをしたことも何度かあった。

沖縄の復帰後、与論島で町会議員をしていた森盛茂さんやヤンバルの知人から聞いた話では、島ぐるみの復帰運動をする人々は、祖国復帰を勝ち取るための情報交換を目的として、米軍厳戒下の北緯二七度線「国境洋上」を闇夜に隠れて〝逮捕投獄〟の危険を冒してサバニやポンポン船で往復したという。

密航船及びヤミ船は、沖縄の日本復帰の直前になって、再びにわかにクローズアップされた。沖縄の祖国復帰が決まり特別措置が施行され、米やガソリン等の生活物資が本土より格安になったため、与論島や沖永良部島から伊平屋島、国頭村にやって来て〝ヤミ取引〟を行なうという人々が出現し新聞沙汰にもなった。当然、不法行為は容認できないことだが、この期に及んでも洋上のウミンチュたちのしたたかさは健在だった。

【コラム】

## 沖縄復帰祈願海上大会

東京オリンピックが開催された一九六四（昭和三九）年、与論島と沖縄国頭村辺戸岬の洋上に横たわる「国境」北緯二七度線上で「沖縄返還を要求する海上大会」が開催された。海上大会は、党派を超えた統一したたたかいとして全国的にも高く位置づけられ、沖縄返還闘争に大きく貢献した。

当時琉球大学の学生であった私は、海上大会に参加した。父の兄にあたる与論の伯父が全国から来た参加者の一団をサバニに乗せて駆けつけ「沖縄を返せ」の大合唱がこだまする大海原で一千余の参加者の中から、所属していた琉球大学学生会の横断幕を見つけて、私たちは直接対面し、握手したことがあった。

それから四八年後の二〇一二（平成二四）年四月二八日、再び北緯二七度線の大海原にやって来た。沖縄県国頭村と鹿児島県与論町が共催して「沖縄復帰四〇周年記念海上大会」が開催された。与論島の父と国頭村の母を持つということで、村当局からの参加要請と那覇市在住の国頭村郷友会「北斗会」幹事長ということもあっての参加であった。

四月二八日早朝、宜名真漁港を出発。四〇年前の一九七二（昭和四七）年五月一五日の沖縄返還から国境ではなくなった北緯二七度線海上で「沖縄を返せ」の大合唱等々、当時さながらの大デモンストレーションが始まった。与論島からはいとこの青山吉雄親子が駆けつけ、船上で握手を交わした。宜名真港へ戻ってきた後、地元の児童生徒や村の村会議員や区長、村民ら総勢二百人余が参加して辺戸岬まで「復帰」平和行進。到着後は記念交流集会が開催され、辺戸岬と与論島双方から烽火を上げて焚火大会で呼応し感動につつまれた。

かつて海上大会は与論島の人々にとって、全国的に知られる大変ありがたい「島興し」の一大イベントでもあった。全国から一千人余の人々が与論島に集結し島民と交流、友情と連帯の絆が生まれたのであった。海上大会を終えてそれぞれの地に帰った人々は、南海に浮かぶ珊瑚礁に囲まれた自然、人情と素朴な島人たちに魅了され、誘われていった。とくに夏場は若者たちが大挙して押し寄せ、年間では十万人余が訪れる人気観光地になった。

そして二〇二二年、五〇周年がやってくる。最近与論島を訪れた際、町役場のある幹部は、「国頭村と相談して沖縄復帰五〇周年記念海上大会を是非やりたい」と語っていた。

# 第二部

# 失踪宣告と逆転勝訴

# 第五章　失踪宣告

## 三三年忌

母・美江と私は沖縄の日本復帰前年の一九七一（昭和四六）年一月、父・惠先のマブイ（魂）を美江の居住する沖縄国頭村へ移すために与論島を訪ねた。島の前浜海岸にある青山家の墓地を訪ね小壺を受け取り、渚の小石を拾って沖縄に持ち帰った。
位牌をつくり、母が住む国頭村辺土名兼久の家で、親戚衆が集まって小さな儀式を行なった。美江はそのときはすでに実家の渡慶次家を相続していたので、仏壇には新たに惠先の位牌が入り、渡慶次、青山両家が並んで鎮座することになった。

それから四か月後の五月、美江の居住地（国頭村）の所管である那覇家庭裁判所名護支部へ惠先の失踪宣告の問い合せをした。「失踪宣告」は生死不明の者に対して法律上死亡したものとみなす制度。不在者につき、その生死が七年間明らかでないとき（戦争、震災などの危難に遭遇した場合は一年間）は、家庭裁判所は、申立てにより失踪宣告をすることができる。

ところが、出身地と失踪した最後の居住地が沖縄ではないとして、鹿児島で申立てるようにといわれた。端的にいえば「非琉球人」だから沖縄ではできないということであった。

そこで、鹿児島家庭裁判所名瀬支部（奄美大島）へ問い合せたところ、申立者の居住地でも可能ではないかと、沖縄とは違う見解を述べていたが、結局、翌年五月の日本復帰後がよいといわれ、しばらくは据え置くことにした。

同年七月、美江は位牌と籍が別々ではよくないとし、恵先の本籍を鹿児島県大島郡与論町から沖縄国頭郡国頭村に移すことにした。骨の入ってない恵先の骨壺が祀られ、仏壇には位牌があるのに、戸籍上では生存したままで、住民票では国頭村民という奇妙なことになった。

一年後の一九七二（昭和四七）年一月、私は下地憙佐子と結婚した。与論島の親せきに紹介することと、父の生地を見せたいがために。彼女をともなって与論島へ渡った。そのころ私は一九六七年に復学した琉球大学を一九六八年中途退学し、琉球立法院で働いていた（一九六八年一一月～一九七二年五月）。非琉球人は公務に就けないが「特別公務員」ということで立法院に務めていた。沖縄の超激動期であった沖縄返還前後のことで、公私共に多忙な日々に追われ、月日は足早に過ぎ去っていった。

それから三人の子どもができ「海洋博」（「沖縄国際海洋博覧会」一九七五～六年）が過ぎて、日常の暮らしも少し落ち着いた一九八〇（昭和五五）年、父の三三年忌を迎えた。沖縄ではウワイスーコー（終り焼香）といい、死者との最期の決別を執り行なう、けじめの法事である。

浦添に新居を構え同居していた母に「父さんの三三年忌をやろう」と提起した。しかし母は、「お父さんはどこかに生きている」といい、親戚の叔父叔母たちの説得にも応じなかった。結局、母の叔父にあたる崎浜秀正じいさん（当時九二歳）の説得で、ようやく折れて法事を行なうことになった。

法事は一九八〇（昭和五五）年九月二六日の恵先の誕生日に近い日に行なわれ、与論島の青山家や親戚から従兄弟たち三人が来てくれた。国頭や那覇の親戚縁者も数多く訪れ、母はたいへん満足そうであった。親戚の主だった人たちは、母と私に対して、「お父さんのマブイ（魂）は未ださまよっている。孫が三人もいることだし、いなくなって三三年も戸籍上にあることは、今生きている人にとってもよくない」と失踪宣告の手続きを早めるようにと忠告した。

## 台湾からの情報

一九八〇年代後半、台湾は蒋介石国民党政権による一党独裁支配に対する民主化のたたかいが大きく前進していた。沖縄でも新聞・テレビで報道されるようになり、激しいデモや焼身自殺等々の抗議運動が生々しく伝えられ、「二・二八事件」という言葉や文字が飛び交っていた。これは父・恵先が遭遇し行方不明になったというあの「暴動事件」のことではないか、と認識しはじめるようになった。

一九八七（昭和六二）年七月一四日、台湾の戒厳令が解除されたというニュースが入った。台湾（中華民国）の支配下にあった中国大陸に接する媽祖、金門島でも一九九二年、白色テロの恐怖政治から段々と解きほぐされる（戒厳令解除）など、台湾の動向が矢継ぎ早に報道された。

また一九八九（平成元）年、侯孝賢（ホウシャオシエン）監督が製作した台湾映画「悲情城市」が、ヴェネチア国際映画祭で金獅子賞を獲得して大きな話題を呼び、台湾二・二八事件が国際的にも知られるようになった。一九九〇（平成二）年、台湾初の本省人の総統である李登輝（りとうき）政権は、二・二八事件の国の責任を認め、犠牲者が一万八千人から二万八千人であると発表した。

私は、さっそく沖縄県立図書館の台湾関係の書籍・史料を探し、関係文献をかき集め買い求め、情報収集を始めた。父の失踪宣告を申立てるための資料、証拠を探すためである。これまでうやむやにしていた父の失踪について、法的にも、そして私たち家族としても真正面から向き合うときが来たと感じていた。

まず当時の新聞記事をしらみつぶしに調べた。するとその中から、一九四七年三月七日付『うるま新報』（現在の琉球新報の前身。当時は週一回金曜日発行）の「台湾各地に暴動」という上海発ＵＰ配信記事を見つけ事件のあらましを確認した。続けて同紙の三月一四日と四月二五日に二回、全国紙の朝日と毎日の記事も出てきた。「ユピ」とは、ＵＰ通信のこと。

『うるま新報』一九四七年三月七日付【上海五日発ユピ】

台湾各地に暴動、(2月)28日台北に起こった暴動について1日夜も数百名の暴徒が郊外の被服工場に殺到しこれを破壊したが暴動はさらに南方に拡大し新竹の市政府は数時間にわたって暴徒の包囲を受けた。しかし死傷者はなかった模様である。陳儀台湾省主席は2日暴徒側の要求を容れて逮捕した暴徒数人を釈放、この事件で死亡した台湾省人、非台湾省人の双方に多額の弔慰金を支払うよう命じた。

『うるま新報』一九四七年三月一四日付【上海十日発ユピ】

台湾暴動各全島に波及す。(略)陳儀長官に台湾省人による二ケ条の要求受諾を迫ったことから(略)大衝突が発生した。死傷者は1万人を越え更に多数の死傷者が発生した。群衆は外省人を掠奪(略)。国府は情勢視察の為監察使を派遣したが、群衆は特使の基隆上陸を妨害、(略)待ち伏せして襲撃、危うく負傷を免れた。中南部でも新たな暴動が生じ情勢は極めて険悪である。

『うるま新報』一九四七年四月二五日付【上海二〇日発ユピ】

台湾暴動五千虐殺。上海の週刊評論の発行者ダブリュー ポーエル氏は、台湾における政府派遣軍は暴動を鎮圧するために五日間にわたって五千名の台湾人を殺戮し想像に余る残虐

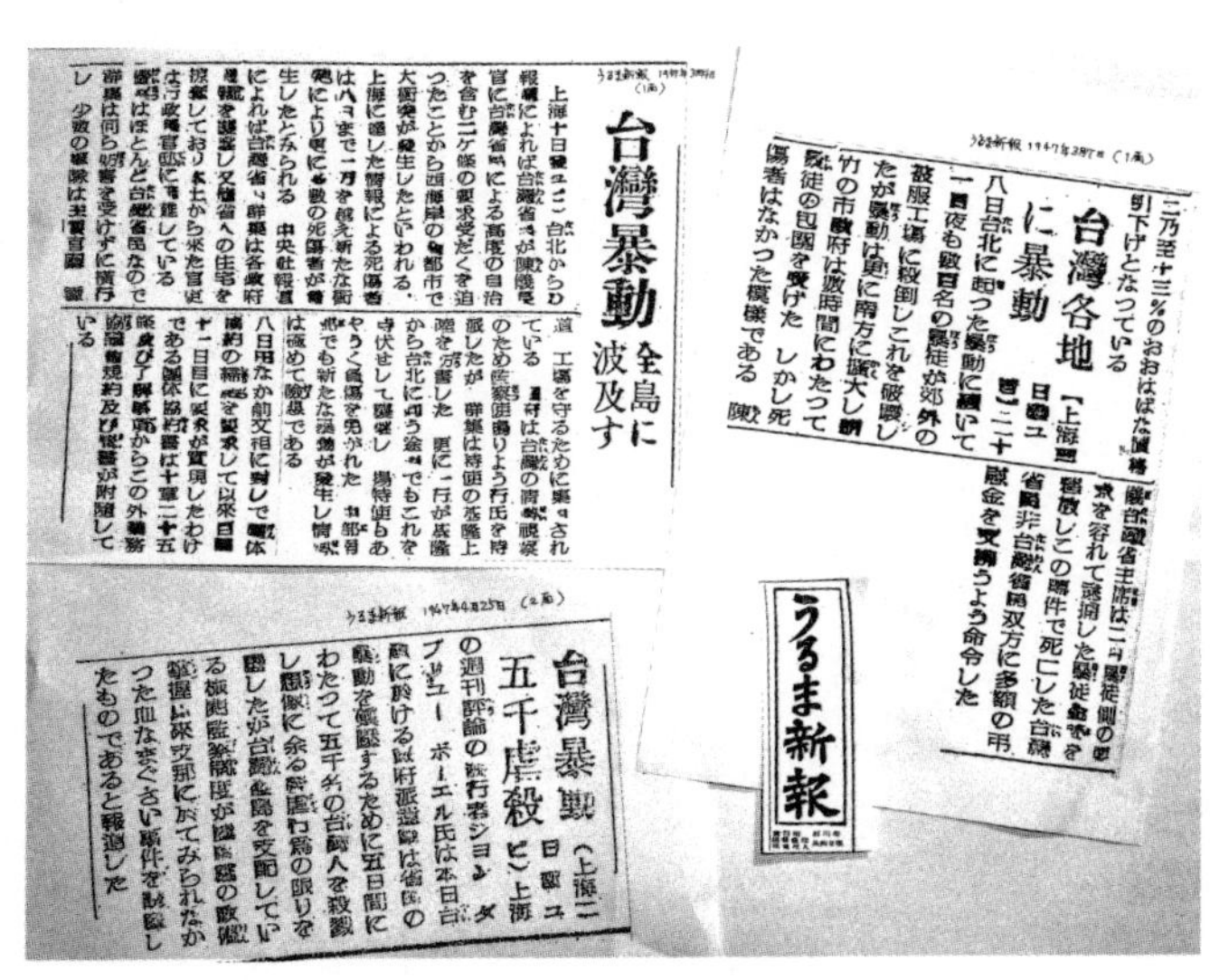

うるま新報 1947年3月 (1面)

**台灣暴動 全島に波及す**

上海十日發ユニ〔テッド〕台北からの報道によれば台灣省民が陳儀長官に台灣省民による高度の自治を含む二ケ條の要求受だくを迫ったことから西海岸の各都市で大衝突が發生したといわれる。上海に達した情報による死傷者は八日まで一万を越え新たな衝突により更に多數の死傷者が發生したとみられる 中央社報道によれば台灣省の群集は各政府機關を襲撃し又台灣省人の住宅を掠奪しており本土から來た官吏は行政長官邸に避難している 警察はほとんど台灣省民なので群集は何ら妨害を受けずに横行し 少数の軍隊は主要官廳 鐵道 工場を守るために集中されている 陳長官は台灣の情勢視察のため監察使楊亮功氏を特派したが 群集は特使の基隆上陸を妨害した 更に一行が基隆から台北に向う途中でもこれを待伏せして襲撃し 楊特使らもやうく負傷を免がれた 北部でも新たな騒動が發生し情勢は極めて險悪である 八日用なか前文相に對して國体[illegible]條約の締結を要求して以來目[illegible]十一日目に要求が實現したわけである國体協約書は十章二十五條及び了解事項からこの外[illegible]規約及び[illegible]が附隨している

うるま新報 1947年3月7日 (1面)

二乃至十三％のおおはばな値下げとなっている

**台灣各地に暴動**

【上海一日發ユ】二十八日台北に起った暴動に續いて一日夜も數百名の暴徒が郊外の被服工場に殺倒しこれを破壊したが暴動は更に南方に擴大し新竹の市政府は數時間にわたって暴徒の包圍を受けた しかし死傷者はなかった模様である 陳儀台灣省主席は二十八日暴徒側の要求を容れて逮捕した暴徒全部を釈放しこの事件で死亡した台灣省民非台灣省民双方に多額の弔慰金を支拂うよう命令した

**うるま新報**

うるま新報 1947年4月25日 (2面)

**台灣暴動 五千虐殺**

（上海二日發ユピ）上海の週刊評論の發行者ジョン・ポーエル氏は本日台灣に於ける政府派遣軍は省民の騒動を鎮壓するために五日間にわたって五千名の台灣人を殺戮し残虐行為の限りを盡したが台灣全島を支配している検閲監察制度が國民黨の政權掌握以來支那においてみられなかった血なまぐさい事件を誘發したものであると報道した

当時の『うるま新報』の報道

行為の限りを尽くしたが、台湾全島を支配している検閲監察制度が〇〇〇（三字不明、蒋介石？）の政権掌握以来、支那に於いてみられなかった血なまぐさい事件を誘発したものである。

全国紙では、毎日新聞が南京発一九四七年三月三日「台北に暴動・民衆四千死傷」、一二日南京発「台湾全島に戒厳令」。朝日新聞が上海発三月一一日「台湾の暴動激化、西海岸全都市で大衝突」、一二日上海発「國府反乱を弾壓、台灣へ軍隊を大増派」と報道、いずれもＵＰ配信となっている。直に関りの深いアメリカは連合国軍として大陸に駐在、本国にはＵＰ通信を通じて報道されたようだ。

台湾から一番近い沖縄八重山地方の石垣で

も、当時の『海南新聞』が台湾二・二八事件を報道している。なんと通信社配信ではなく、生々しい自社取材の記事である。

『海南新聞』一九四七年三月一四日付。見出し「台湾に暴動」
▽台湾情報▽ 物資問題に絡み台湾北方台北方面に端を発した国民党と島民の争いは去る七日三千乃至四千の死傷者を出したが、長官に対する島民陳情が解答されなかった為四日後の十日更に一万人の死傷者を塁出させた。それに対し国民党軍としては十一日台湾全島に戒厳令を布き鉄道、逓信、放送を停止せしめた。又一方将兵の家族はア門に引揚完了した模様であるが　其の後の情勢の変化は予断を許さないものがある。

『海南新聞』一九四七年三月一七日付。見出し「暴動鎮圧、軍艦出動」
（略）食糧問題に端を発した暴動は今や少数残留沖縄民の引揚げを余儀なくさせ、彼等は漁具を棄てアタフタ逃げ帰った。即ち去る十三日十三時蘇澳を出た豊栄丸は三二名の男女子供を乗せ十四日正午頃石垣港へ入ったが、その一員金城氏は暴動の状況を次の如く語った。ことのおこりは米相場で米一斗三百円が千二百円にとんだことでした。そこで、台北の大学、高校中学の学生生徒が中心となり、労どう者の生活擁護の為に暴動を惹起したのです。ここに高砂族が共同一致して暴れ出し、ジャンク船を百一隻も焼却しました。目下進駐軍は戒厳令を布きその鎮圧には米艦二隻、中国軍艦二隻が基隆にやって来ていますが、台中、嘉義、蘇澳南方あたりも暴れ出しました。私たちの船主も状況が悪いから逃げ帰るよう話して居りましたので、十三日蘇澳を出て石垣に向かったのです。私たちの船の外凡そ四十隻位は引揚げを致しました。なほ今回引揚者のうちには台湾省人も若干交っている。

失踪宣告を申立てる準備をするにあたって、『日本植民地下の台湾と沖縄』の著者で当時、浦添市立図書館長の又吉盛清氏を訪ね、台湾に関する情報、二・二八事件について勉強させていただいた。当時、台湾情勢を反映して、又吉氏をはじめ台湾とつながりのある学者、研究者、県内ジャーナリストの関係者らは、台湾や東アジアについての講演、学習会、そして映画「悲情城市」上映会などを開催していた。

私は、父・惠先の台湾二・二八事件遭遇の背景と関連について、続々出版された台湾に関する著作や資料等から、自分なりのアンテナを巡らせ、事件の真相究明と関わりを学び迫って行った。

事件に関することで、いちばん近い存在である惠先の従兄である青山先澤（当時八五歳）とその妻ミネ（当時八三歳）にも協力をお願いし、詳細な聞き取りを始めた。幸いに沖縄県内に居住していたので、いつでも会える状況にあった。

今思えば、この二人から何十回、何百回も父のことを聞いてきたというのに、肝心なことは聞いてないことが分かった。二人にとって弟のような恵先の息子である私には語りづらかったのだろう。

## 民主化のたたかい

当時の状況について、現在の財団法人二二八事件基金会理事長・薛化元氏は次のように述べている。

台湾社会においては、二二八事件は台湾のエリート層に障害を与えただけにとどまらず、台湾社会自身も恐怖の高圧的な雰囲気を蒙っていたため、二二八事件は台湾における政治の禁忌となっていた。マスコミはほとんど二二八事件を報道しないというだけでなく、教科書にもいっさい言及されることはなかった。（略）一九八七年に二二八和平日促進会と台湾キリスト教長老教会が、初めて政府に対して名誉回復を求める運動を起こした。

（『二二八事件をめぐる歴史清算問題』中京大学法学部季刊51巻2-3号、二〇一七年）

一九八七（昭和六二）年七月、言論・出版の自由を求め民主主義を渇望する知識人を先頭とする台湾民衆の激しいたたかいのもとで、世界最長といわれた三八年間にわたる戒厳令が解除され

戒厳令解除直前、1987 年の二二八和平日促進デモ（財団法人 二二八事件紀念基金会提供）

た。この時二・二八事件から四〇年の歳月が過ぎていた。しかし国民党政権は戒厳令を解除した代わりに「国家安全法」を施行して専制支配を維持した。二二八事件から引き継ぐ白色テロの根絶を求める民主化のたたかいはより大きく広がり、初の本格的な野党である民進党が結成され、立法院では議席を獲得、万余の市民が参加する大規模な集会やデモが敢行された。

　一九九二（平成四）年、国民党李登輝政権は被害者への謝罪と補償を約束、戒厳令解除から八年後の一九九五（平成七）年、窓口機関となる「財団法人二二八事件記念基金会」が創設され認定賠償請求の作業が具体的にすすめられた。戒厳令解除を経て八年後のことであった。

　やがて台湾の民主化の流れが沖縄にも伝わるようになり、母と私の事件に対する認識は具体的に深まり、遠いところにあった「台湾」がすぐ近くに迫って来た。

この流れは加速し、二〇〇〇年、国民党ではない初めての政権、民進党陳水扁政権が誕生した。新政権は二・二八事件を政治的重要課題として、責任と真相究明、言論出版の自由など民主的諸権利、追悼・記念碑建立、重要資料の発掘・公表、等々を最重要課題として精力的に取り組んだ。

## 四五年後の失踪宣告

一九九三（平成五）年八月、那覇家庭裁判所へ父・青山惠先の失踪宣告を申立てた。主旨は、惠先は妻子を迎えるために鹿児島から台湾へ行ったまま行方不明になったこと、母子は台湾から鹿児島へ引揚げたが、惠先と行き違いになったこと、社寮島の港で大陸から来た軍隊に捕らわれ連れ去られたという目撃証言がある、ということなどであった。

父の従兄の青山先澤の妻・ミネは、留用者として残された夫に先だって五人の子どもを連れて、公用船ではなくヤミ船に乗って石垣島へ引揚げていた。そして、石垣島で思わぬ人に出会った。そのときのことをミネは次のように回想している。

「石垣島で、戦地へ行ったはずの惠先が突然目の前に現れ驚いた。『復員して鹿児島にいたが美江たちが未だ台湾にいるので迎えに行く』という。美江たちはもう鹿児島へ向かっているかも知れないと言ったが、惠先は小さな赤い靴をリュックから取り出して見せ、笑顔で行ってしまった。それから何日か経って、こんどは基隆から社寮島でよく知っている小橋川（グラー）が駆け込んで来た。『自分は命からがら社寮島から逃げて来た。惠先が軍隊に捕まれて連れて行かれた。恐らくやられただろう』といっていた」

事件の関連文書や研究書等々から見える様々な情報と、先澤とミネの話を照らし合わせてみると、深くて濃い霧の中から、徐々に父の最期の姿が現れてきた。

惠先が遭遇し「失踪」させられた事件というのは、一九四七（昭和二二）年二月二八日台北で発生した二・二八事件という未曾有の大虐殺事件であった。

それは事件の二年後の一九四九（昭和二四）年から三八年間も続いた戒厳令下の時代、白色テロの恐怖政治のもとでタブーとされ、記録と記憶は半世紀にわたって闇から闇へ葬り去られ、その事実は風化しようとしていた。

先澤とミネの話を聞き、失踪宣告申立ての背景と理由が確定したことで、母・美江はようやく納得した様子であった。

戸籍謄本、結婚式記念写真、戦地からのはがき、復員後の鹿児島からのはがき等々を添付書類として提出。ひと月後、家庭裁判所から聞き取り調査をする旨で、美江と私、先澤とミネに連絡がきた。書記官によって美江と私は自宅で、先澤とミネは、そのとき居住していた老健施設で対応した。私は先澤とミネの聞き取りには同席を許されなかったが、二人から「こないだ話したとおり全部話した。惠先のこと、社寮島のことや結婚式のことも話したよ」と報告してくれた。先澤が書記官に話したことは、先日私が初めて聞いたこととほぼ同じであった。

先澤は「留用者」として社寮島に滞在し、台湾人船主に船長として雇われ、その間に九人の台湾人漁船員と一緒に尖閣列島周辺でカジキ漁をしていた。その日、いつものように大漁旗をかざして基隆港に入港したところ、なんと大陸から来た軍隊が待ち構えていた。

先澤が入港するや否や、接岸する間もなく中国軍兵士に捕らえられ、自分は日本人の留用者だと告げると傍に除けられ、台湾人の九人は埠頭岸壁ぎわに立たせて問答無用に銃殺した。信じられない恐ろしいことだった。しばらく拘束軟禁され、四、五日後に釈放された。その後、八尺門(漁港)で船乗り仲間たちから聞いたことには、鹿児島から復員してきたという惠先が軍隊に捕らわれどこかへ連れて行かれたという。その話を聞いて、先澤は心当たりのある場所を訪ね歩き探し回ったが、見つからなかった。

聞き取り調査を終えて那覇家庭裁判所は一九九四年三月「官報」に掲示、同年八月八日に審判が下され、同三〇日失踪宣告の審判が確定した。そして同年九月七日、父・青山惠先の「死亡届」を国頭村役場に提出。事件から四七年後のことで、美江八一歳、私は五一歳になっていた。

台湾二・二八事件で日本人犠牲者がいるということが確認されたのは日本国内では初めてで、県内マスコミは一斉に報道した。それから、失踪宣告確定から九か月後の一九九五(平成七)年

タイムス（夕刊）　1995年6月20日(火)

# 「父の最期知りたい」

## 台湾 2・28事件で不明

## 国民党軍が連行

### 昨年、失跡申し立て　政府は実態調査を

浦添市・青山恵昭さん(52)

『沖縄タイムス』1995年6月20日（沖縄タイムス社提供）

六月二〇日、沖縄タイムス社会面にトップ記事として、琉球放送（ＲＢＣ）は映像報道で、「台湾２・２８事件に遭遇し行方不明になり失踪宣告が確定、今もその行方を追っている」という見出しで、犠牲者青山恵先の遺影と母と私の写真入りで報道した。私の周辺でも大きな話題となり、親戚や同級生、知人、友人から問い合せや激励を受け、その後の台湾における認定賠償を実現していく上で大きな影響を与えることになった。

失踪宣告確定の翌一九九五年、台湾の当局は二・二八事件の被害者認定及び補償（後に賠償に改めた）を扱う財団法人二二八事件記念基金会をすでに創設していたが、当時の私は、そういう知見も無く、対象者としての認識も希薄で、これ以上当事者として主体的・積極的に取り組もうという姿勢ではなかった。その背景には、父や母、湾生である私も含めて、帝国の国策として支配した側の人間であったということから、台湾の人々に対する後ろめたさも作用していたように思う。

失踪宣告が確定し父のことが片付いた。重石が取れたという何ともいえない解放感と同時に虚脱感に陥り、全てを忘れたかのような時間が過ぎ去り、一〇年余も過ぎ去っていった。

母は「昔のこと。あのような時代、今さらどうしようもない。これ以上のことはどうしようもない」と諦めざるを得ないことなのかと、胸中にしまいこんでいた。そのことは私の中でも重く沈殿しつづけていた。

## 戦後、初の台湾行

時が経つにつれて、大事なことを置き去りにしたままではないのか、という思いが強くなった。父は、「台湾二・二八事件で行方不明になり殺害された」それは母と私がそう思っているだけで、失踪宣告が確定したからといって、裁判所が二・二八事件に遭遇したと証明している訳ではない。この時点で、当然のことだが、台湾の当局は、青山恵先についての存在も、事件遭遇についての認識は一切ない。

この思いを晴らす糸口がないまま、真相を語る歴史の扉が塞がったまま放置していいのかと、日々悶々としていた。

そのころ台湾は、戒厳令が解除され、一連の民主化運動の中から生まれた民進党の陳水扁総統が二〇〇〇年に政権を担い三期目の選挙戦をたたかっていた。

二〇〇七年一月、沖縄大学の又吉盛清教授は、台湾の学者・研究者と共同して台湾二・二八事件の真相解明へ向けて「台湾二・二八事件沖縄調査委員会」を立ち上げ、具体的な活動のはじめとして、事件から六〇年目を迎えて台湾当局が主催する「二・二八事件六〇周年記念追悼式典」へ沖縄から初めて参加することを計画、記者会見で公式に発表された。

台湾の研究者によると、選挙戦は二・二八事件が大きな争点の一つとなっていたが、事件の犠牲者に沖縄関係者もいたということは衝撃的であったという。六〇周年追悼式典に沖縄から参加したのは、事件遭遇体験者の青山先澤（当時百歳）と犠牲者家族としての私、又吉教授はじめ学者研究者、報道各社、等々総勢一〇数名であった。

私は三歳のときの引揚げ以来、記憶にはない台湾へ初めて渡ったのである。

式典の前日、行政院文化建設委員会と台湾国際法学会の共催で「二・二八事件、沖縄人犠牲者についての記者会見」が開催された。会見場には沖縄関係犠牲者四人の大きな顔写真パネルが立てられ、二〇名余の報道記者と一〇数台のテレビカメラが取り囲んだ。

## 総統と握手

ひな壇には、沖縄から又吉盛清沖縄大学教授、金城正篤琉球大学名誉教授、台湾からは楊孟哲台北教育大学教授、呉錦發行政院文化建設委員会副主任、鄭欽仁台湾大学名誉教授、何義麟台北

60年経て重い一歩

台湾2・28事件 県出身被害者公表

補償問題が課題に

沖縄調査委が台北で会見

記者会見する又吉盛清教授ら（2007年2月27日、琉球新報社提供）

教育大学助理教授の諸氏が並び、そのなかで青山先澤と私も並んだ。

会場では又吉教授から沖縄における現在の調査結果が報告され、判明している犠牲者は四名、おそらく被害者は三〇人を下らないだろうと述べ、一四人の犠牲者、被害者、目撃者等々の氏名と内容を公表した。事件体験者の青山先澤は殺戮の場面を生々しく語り、私は父親が犠牲になったことと母・美江に代って真実を探りあてたいと訴えた。

記者会見は、台湾人以外に外国人犠牲者がいたことが初めて明らかにされ、二・二八事件が国際的な人権問題であるとして大きな反響を呼んだ。

二月二八日の追悼式典は、台北市の「二二八和平記念公園」で開催。周辺市街地では野外コンサートなど大規模な関連イベントが開催された。沖縄からの参加者はステージ間際に席を与えられ、式典参加者に起立して紹介された。陳水扁総統は、百歳の先澤をはじめ沖縄の参加者と直接対面、挨拶を交わし握手をした。式典のさいごは、「二二八祈念碑」の前で百合の花を献花、「台北市立二二八記念館」に立ち寄って館内を見学した。記念館展示室に入ってしばらくして車椅子

台北市二二八記念館（筆者撮影）

「かわいそうだった」何度も繰り返し

体験者の青山先澤さん　平和、切々と訴え

何の罪もない台湾人が次々と虐殺されていく現場を目撃した青山先澤さん。今年一月に百歳を迎え、事件から六十年の時を経て、再び台湾の地でせい惨を極めた当時の光景について語った。

先澤さんは、台湾沖で漁を終え、基隆港に戻ったところで事件に遭遇した。「片っ端から銃で殺していた。ほんとにかわいそうで…」。ハンカチを手に時折涙を浮かべながらも、しっかりした声で事件の悲惨さを訴える先澤さん。台湾の報道陣も注目し、会見の後半は先澤さんを取り囲むようにして何度も質問していた。

この日、午前中に台湾2 28祈念館を見学。銃を手にした軍人が、ロープで足をくくられた台湾人たちを次々と銃殺し、海に落としている絵に遭遇し「そうだった」「思い出した」と絵を何度も指さしながら興奮気味に語っていた。

会見中に「悲しかった」を何度も繰り返した先澤さん。「百歳まで生きると思わなかった」「（きょうは）ほんとによかった」と台湾で体験を語れたことを喜んだ。最後は取り囲んでいる報道陣に「台湾が平和で、花を咲かせてくれることを念願している」と力強く訴えた。

行方不明になった青山恵先さんの息子・恵昭さんは、国民党が謝罪して補償してほしいとの母・美江さん（九三）の願いを報道陣に説明。「母は『台湾には行けない』と同行を断った。父も自分の無念を晴らしてほしいと思っていると思う」と語り、台湾、沖縄双方が友好関係を築きながら、真相解明を進めていくよう協力を呼び掛けた。

「かわいそうだった」と何度も繰り返しながら2・28事件の様子を語る青山先澤さん＝27日、台北市の行政院文化建設委員会

事件遭遇を語る青山先澤（2007 年 2 月 27 日、琉球新報社提供）

に座って見学していた先澤が、いきなり立ち上がって唸るように杖を突きだした。杖の先には大壁画（四一頁に写真掲載）があって、手を後ろに縛られて目隠しをされ、足首を針金で貫通された数人が数珠つなぎにされて銃殺されるという残忍な虐殺場面であった。先澤は自ら体験したような「事件現場」を目前にして、衝動的に怒りの抗議の声を上げたのであった。これはまわりにいた随行者や報道記者たちを一様に驚かせた、強烈な場面であった。

## 生と死の島・六〇年ぶりの社寮島

式典当日の昼後、沖縄からの一行は、事件現場になった基隆市和平島を訪れた。まずは基隆市長（代理）を表敬訪問し調査協力を要請した。その後、父と与那国出身の二人が犠牲になった旧社寮島（現和平島）へ行き、島の北東側の千畳敷海岸（表紙スケッチ）を訪れた。

ここは私にとって「生と死の島」である。私が生まれ、父が死に至らされた島である。奇岩奇礁が広がる海岸一帯は、基隆港や周辺海岸域から拉致連行されてトラックで運ばれ、処刑された場所であった。なだらかな丘陵には、島の守り神を祀る鎮守の杜として、また海岸周辺で発掘された遺骸を集めて収納した納骨堂としての役割も備える、社寮島外萬善堂という素朴な小さい廟が建っていた。

入江になっている沿岸の、貝や海藻を獲る小舟の舟溜まりになっている台場で、沖縄から持って来たサーターアンダーギー、黒砂糖、泡盛を供え、ウチナーウコー（沖縄線香）を立て、この周辺で最期を遂げたであろう父と与那国島出身の仲嵩實と石底加禰の三人の供養弔いを行なった。

この地が琉球人集落でもあったこととあわせて、六〇年ぶりにやって来た青山先澤は、沖に浮かぶ基隆島や周辺の奇岩奇礁をなぞるように見まわし「あいえーなー、何も変わらん！」と感無量の面持ちで涙ぐんだ。先澤は島東北の海岸域を目前にして車椅子から立ち上がり、「ここは六〇年前と変わらん、お前の父さんとあの島へカジキとアホウ鳥の卵を取りに行ったよ」と言った。三・三km沖合に浮かぶ基隆島という無人の小島を目前にしてのことであった。よく晴れた青空のもとで先澤は感無量の高揚感にあふれていた。

しかし、自らの生まれた場所であり、父の最期の地であったということを知りながらも、目前の光景の記憶がない私は、未だ解き明かせない真相と直面したような複雑な気持ちに包まれ、心の中で真相解明を固く誓っていた。

その晩ホテルへ戻って、昼間、海岸域を目にして先澤が言った「基隆島のアホウ鳥の卵」の話はおかしい、勘違いしているのではと考え、もう一度本人に尋ねてみた。

――あの島にはアホウ鳥はいないよ、サシバではないか。

「いや、あれはわしがカジキ船の船長をやり始めたころだから昭和一二、三年のころだ。島のオカ（陸）にも上がったんだ」

――あぁそれは、尖閣諸島のことではないか。

「そう、島にはカジキもアホウ鳥もたくさんいたよ」

沖合に見えたあの三角型の基隆島は、百歳になった彼にとっては尖閣諸島のことであった。六〇数年ぶりに見た光景は、恵先と共に絶海の孤島海域で思う存分に跳ね回った想い出のステージとして映っていたのだ。

そのころ、沖縄では、新聞・テレビなどが連日連載、報道されていた。行く先々で反応が広がり、予想外の問い合せもしばらく続いた。この初めての台湾行きは、沖縄、台湾双方の学者・研究者による企画のもとで、青山恵先をはじめとする沖縄関係犠牲者をテーマにして実行され、その後さらに大きな反響を呼ぶことになる。振り返ってみると、沖縄における台湾二・二八事件の真相解明の活動の出発点はこの時点にあったように思う。

# 第六章　台湾の島を歩く

## 台湾からの取材

沖縄における台湾二・二八事件の真相解明の活動に対して、二〇〇八年二月の総統選挙戦を背景にして台湾側からも積極的なアプローチがあった。それは沖縄側の願望とも合致し、プロパガンダ的な要素も絡み合いながら取り組まれた行動であった。

二〇〇八（平成二〇）年一月、台湾側の調査委員会が「沖縄出身者が遭遇した歴史的な事件の真相を明らかにするために記録を残したい」として、楊孟哲教授ら五人が来沖、又吉盛清教授が対応しテレビ局も同伴して精力的に取材した。

インタビューに応えた母は「台湾の人たちはみんな優しくて仲が良かった。恵昭（筆者）が赤ちゃんのころよく預かってくれたよ」等々、社寮島での暮らしぶりを回想した。

青山家を訪問した一行は、仏前に手を合わせ、恵先の位牌に差し込まれた名札の裏に「昭和二

インタビューに応える青山美江（94歳）、右は筆者（2008年1月）

十二年二月二十八日卒」と表記されていることを確認し、青山惠先を祀っている社寮島と与論島の小石を納骨してある寺を訪ねて取材した。

さらにその後、沖縄人犠牲者の仲嵩實と石底加禰の出身地である与那国島を訪ね、関係者を訪問し、墓地にも足を運んだ。その模様は後日、台湾でテレビ報道され、沖縄の新聞でも報じられた。

## 幼なじみと和平島に行く

二〇〇八年一〇月。沖縄島ヤンバルの国頭中学校の同級生仲間からの「惠昭のお父さんが最期を遂げた台湾へ行こう」という呼びかけに応じて、一〇数人の幼なじみが台湾親睦旅行を行なった。幼なじみと一緒に過ごすと、昔のことが頭の中を走馬灯のように駆けめぐる。我々の世代は父親を戦争で亡くした子が多い。しかし子どもの世界というのは、辛くて悲しいこともごく自然に乗り越えてゆくもの。一人っ子の甘えん坊として、幼なじみの存在がどんなに心の支えになったか分からない。

連れだって台湾のンマリジマ（生まれ故郷）にまで来てくれて、彼らは無念の最期を遂げた父の冥福を祈って焼香してくれた。父もきっと喜んでいるに違いないと晩秋の冷たい雨の中で、心が温かくなる清々しいひとときであった。

## 緑島へ行く

二〇一〇（平成二二）年一二月初旬、渡台以来親しくなった楊孟哲氏から日本人が多い台北市の中山北路街を案内され、新純香という小ぎれいな茶店に入った。芳しい茶をすすり、日本語が堪能で太宰治研究家という店主の邱振瑞さんと画家の蘇振明さんを紹介された。

楊氏から「青山さんは二二八事件関係者で絵を描く人だ」と紹介され、蘇さんはいきなり「明日南部の台東市の沖合に浮かぶ緑島へ行く。一緒に行かないか」と誘われた。六〇代半ばと思われる画伯は二泊三日で台東と緑島に行くというのだ。急で面喰ったが、緑島のことは気になっていたところ、私はその場で了承した。

翌朝、蘇さんに導かれて松山空港から台湾島東海岸の台東県へ飛び発った。かつては二・二八事件から続く白色テロ時代の監獄島として、南アフリカのアパルトヘイト政策に対して闘い続けたネルソン・マンデラが閉塞されたロベン島のイメージが湧いてくる島だ。一九八七年の戒厳令解除後の今では国家人権博物館となっている。戒厳令の時代、台湾各地から送られた「政治犯」

緑島人権文化園区。かつては「緑島監獄」といわれ政治犯２千人が収容された。
日本統治時代は「火焼島浮浪者収容所」があった（筆者撮影）

を牢獄に繋ぎ処刑した島、火焼島といわれた日本の植民地時代の歴史にも触れた。画伯とふたり、島の原風景に魅せられてスケッチ（一二七頁第二部中扉スケッチ）に没頭するなど、言葉も通じないというのに阿吽の呼吸で通じ合う珍道中となった。

緑島から台北市に戻り、「美麗島事件」で有名な景美看守所（今は国家人権博物館）という白色テロ時代の軍事監獄を訪ね、緑島監獄にも数年間閉じ込められ、あわせて獄中二〇年の体験者という郭振純さんに会って、実体験をともなった迫力ある案内に学んだ。

そのころ私は、台湾へ通い始めて四年も経っていたが、二・二八事件そのものの実相や父の事件遭遇についての把握は上滑りな認識しかない状況で、真相究明と認定賠償に関する具体的な認識と手だてはほとんどもちあわせてなく、父の失踪探求の道筋もその緒についたばかりであった。

## 和平島から九份へ

緑島と景美訪問の後、画伯は二・二八事件のことで来台した私のことに配慮して、自分のアトリエ工房（台北市在）に泊めていただいた。翌朝、美術館学芸員の趙さんも一緒に、車を自ら運転して基隆、和平島に向かった。和平島海岸では画伯も私も、奇岩奇礁の光景を二時間余りもスケッチに没頭した（一七頁第一部中扉スケッチ）。画筆を止め画伯が寄り添って、お互いのスケッチを評しあったり、六〇年前この場で起きた悲しい歴史に眉をひそめて語りあった。

スケッチを終えて画伯は台北に帰り、その後は趙さんと二人で周辺を散策した。海浜入口に来ると何かを訴えている絵入りの立看板がある。銃を持った軍隊が男たちをトラックから引きずり降ろし、バックでは海岸で男たちが溺れ喘いでいる。この絵はまさしく二・二八事件のこの場で起きた虐殺場面の絵画である。その場は先を急ぐため、残念だが写真に収めて、後ろ髪をひかれる想いで立ち去った。

その後、近くの山岳地帯にある九份へ向かった。ここは台湾二・二八事件をテーマにした映画「悲情城市」で有名なロケ地である。戒厳令解除の二年後の一九八九年完成、タブーとされていた二・二八事件を真正面からとらえ日本敗戦から事件までの間を基隆と金爪石を舞台に設定、聾唖者の青年を主人公にした台湾人大家族の生き様を通して終戦直後の激動の台湾社会を描いている。

映像の冒頭が印象的である。一九四五年八月一五日、日本の敗戦を告げる「玉音」放送が流れ皇居前で人々のうなだれるシーン、九份の山並みから一二㎞離れた彼方の海面稜線上に社寮島がシルエットになって静かに浮かび、家族には新しい生命が誕生する。そして二・二八事件の数々の生々しい場面が時には激しくダイナミックに、時には静かに叙情豊かに展開して行く。

九份はこの映画で一躍台湾を代表する観光地になり、日本映画で米国アカデミーの長編アニメ映画賞を受賞した宮崎駿監督のアニメ映画「千と千尋の神隠し」のモチーフにもなったといわれ、日本人観光客にもたいへん人気のあるエリアである。

## 島歩き

二〇一三（平成二五）年七月、五度目の和平島へ向かった。

これまでは団体やグループで島に入り、東北部海岸へ直行しただけであった。今回は東アジア研究者のKさんが京都から来てくれて基隆で合流。同行通訳は台北で演劇活動をしているYさん。何度かお世話になっている日本通の女史で、彼女の友人たちがワゴン車を出してくれた。

一日目は、基隆市街に居住する二・二八事件犠牲者家族会の周振才医師を初めて表敬訪問。市役所、市立図書館、市文化センター等々を一巡し、郊外山手の中正公園の基隆市二二八記念碑から北白川宮能久親王碑をまわり、市街に下りて田寮運河と基隆港埠頭における当時の虐殺現場、蒋介石銅像、基隆港東側埠頭から敗戦後の引揚げの際、多くの沖縄人が待機させられた対岸の倉庫群を見学した。

二日目は和平島、旧社寮島行き。朝九時、基隆市役所近くのホテルで若者六人と待ち合わせして賑やかなスタートとなった。

まずは和平島を前にして水産会館（漁會大樓）のあるかつての「スイサン」地域である。水産会館の建物は日本統治時代の一九三四（昭和九）年建造の雰囲気あるレンガ造り三階建て。かつては海事局、水産試験場、漁業組合、郵便局などがあった。地域のシンボルとなり、この界隈は「スイサン」と呼ばれていた。一見廃墟かと見まがうほどだが、市政府は歴史的建造物「漁業文物館」として保存するとのこと。今も地元漁師の組合などが入り魚市場などと隣接して機能している。

現在の正濱地区は、事件当時は濱町とよばれ、与那国島の仲嵩實と石底加禰の二人が、二・二八事件の際に、漁船用の焼玉エンジン部品を求めて与那国島からきたところを捕らわれ、殺害された場所といわれている（第三部第十章参照）。仲嵩家は、沖縄の日本復帰後まもなくここへユタ（沖縄の霊媒者）を同伴して弔い供養をしたという。

水産館の近くの基隆市役所中正区支所を訪れ、かつての社寮島時代の地籍地番等々の資料がないか窓口で聞いてみた。窓口の職員は親切に上司や担当部局に問い合せてくれ、旧社寮町の戦前戦後対照表と基隆市中心部の今昔対象図をいただいた。戦前の主な資料は市役所本庁に保管されているとのことだ。

## 和平橋あたり

中正区支所を訪れたもう一つの理由は、恵先が台湾人と二人一緒に捕らわれた場所の特定と、その家族がこの街に今も住んでないか、捕らわれたその人はどうなったのか、等々、公的機関のなんらかの資料があると思われたからであった。しかし、この問題は周振才氏などと相談し基金会へ問いただすなど、もっと根本的な方法ですすめようと考え、この場は思いとどまった。捕えられた台湾人というのは、第一部第一章で述べた通り、氏名は劉新富という人物で、既に認定賠償が成立し船主の息子ではなく弟であることが判明している。

窓口で「和平島で昔の話が聴けそうなお年寄りを教えてください」と聞くと「よく分かりませんが、街へ行くと筋道で（地元のお年寄りを）よく見かけますので、たいていは日本語が通じますので話しかけてみてください」という。

それで公所から近い、かつては社寮島の琉球人集落の子どもたちが通っていたという真砂小学校を訪問。現在は「正濱國民小學」と称し、本島側の和平橋手前から東南へ五、六〇〇ｍほど上ったところだ。

かつての琉球人集落の学童たちは約三㎞の道筋を徒歩で通学、基隆橋（今は和平橋）を渡ったという。時には渡し船の舢舨（サンバン）にも乗ったらしい。

夏休みというのに校門は錠もなく自由に入れた。職員室を訪ねると、校長先生が気安く応対してくれた。「かつては日本人のなかに台湾の子もいて一緒に学んだそうですね。卒業生名簿などの戦前の貴重な資料等は今ここにはなく市役所に保管されています。最後の校舎が数年前に取り壊され、今では昔の面影は周辺の森ぐらいでしょうか」とのこと。校長は台中市の出身で「戦後生まれ」とのこと、かつての歴史はあまり知らないようだ。沖縄旅行もしたとおっしゃるが、二・二八事件の話を持ち出すとたんに重い口調になった。

和平橋入口から右へ百ｍほど行くと基隆市原住民文化会館がある。この日は祭日らしく館内では踊りや宴会が行なわれていた。見学を許され三階の歴史民俗展示室へ案内された。和平島周辺の少数民族の歴史や生活、民俗を見学。この人たちこそが元々からの台湾の住人なのである。日本では「先住民族」と称しているが、台湾では法的に「原住民」と称している。余裕をもって展示資料をじっくり見て、皆さんと直に語りあう機会をつくりたいものだ。

原住民会館を出てすぐの和平橋入口から、港に面して廃墟と化した異様なコンクリート鉄骨建造物が忽然と骨格状に立っている。これは一九三六年に完成した「鉱石積場」で、金爪石鉱山の鉱石を移出するために設置され、戦後は「阿根納造船所」として使われた。金爪石や九份で採れた金鉱石や銅鉱石をトロッコ列車兼用の軽便鉄道（五分仔車、一二・三㎞）で運んできて、この八尺門（駅）港から内地（日本本土）へ搬送され人もモノも同乗する路線があったという。一九四五（昭和二〇）年五月、八尺門駅舎と鉱石積場は米軍空襲で破壊され、戦後は一時期造船所として機能していたが、今は残骸建造物として、その異様な姿が「文化遺産」として人気を博している。（富永悠介『〈あいだ〉を生きる』大阪大学出版会、二〇一九年）

よく見ると、駅舎跡と和平橋脇の岸壁にカジキ船が横たわっている。半世紀以上も見たことがない過去の遺物と考えていた漁船が目前に現れ驚いた。かつての恵先、先澤たちが尖閣諸島あたりの海洋を勇壮に駆け抜けてきた「カジキ漁・突きん棒船」である。所々にでこぼこの傷があるがペンキを幾重にも塗り重ねて手入れもいき届き、船首にしっかり突き出た舳先も立派で、長さ五、六ｍもある銛（もり）が数本も横たわっている。今のカジキ漁は延縄式が主流といわれるが、ここでは現役そのもののようだ。また、橋下にはかつての渡し舟だった屋根付き舢舨が数隻もつながり、これもまた健在である。

### 八尺門水道

かつては基隆橋とよばれた和平橋（七五・二ｍ）を歩き渡って八尺門漁港にたどり着いた。対岸の駅舎跡と鉱物積出埠頭跡との間は五、六〇〇ｍにわたる和平島と本島間の水道になっていて天

八尺門水道に架かる和平橋。左が和平島、橋の右端が八尺門駅の残骸建造物（2015年、筆者撮影）

然の良港である。

　ここが父・惠先と台湾人船主の息子の二人が捕らわれた岸壁で、魚市場の後ろの森が同乗者で証言者の小橋川（グラー）たちが逃れていった場所と思われる。拉致連行、殺戮の場と化した「社寮島船寮事件」のあったところだ。

　魚市場で「海宴海産店」という食堂に入りお昼をとる。店を仕切るおかみさんは五〇歳ぐらいで沖縄のマチグヮー（市場）のアンマーそっくり。日本語も上手で、アバサー汁（ハリセンボンの魚汁）やエビ蒸し、アワビ汁等海鮮料理を腹一杯いただいた。連れの若者たちや店の家族も総出で賑わい楽しいひとときであった。

　私は、ここで生まれたこと、父親が事件に遭いここで行方不明になったことを話すと、年老いた大おかみさんが出てきて涙ぐみ、船着場へ向かってお祈りをしてくれた。天国の父もきっと喜んでいるようで青空がきれいに広がっていた。

島の中心部へ向かう。和平島バス停の辻に立っていた基隆市作成の故事景点地図を頼りに朝鮮亭があった場所を探す。ここは和一路から平一路にさしかかる旧福州街の右側あたりだ。二・二八事件犠牲者は今のところ外国人は沖縄の四人だけが判明しているが、朝鮮人のなかにもいるのではないか、何らかの手がかり、痕跡があるのではないか、琉球人集落との接点・交流も含めて調べ、探してみなければと考えついた。

それから四年後の二〇一七年二月、青山惠先に次ぐ外国人二人目の韓国人・朴順宗が認定賠償を勝ち取った。朴順宗の賠償請求を申請した長女の朴鈴心は「父は家族で暮らしていた基隆浜町（現・正濱漁港付近）で捕らわれ行方不明になった」と証言している。

和平島には基隆で最も古い歴史を持つ天后宮という廟がある。境内の婦人から清代の一五〇年前にできたと教わり、目前の廟舎の後ろにもう一つかつての宮があることを教えられ案内してくれた。なかなか立派な構えの廟である。お祈りをして線香と紙銭と菓子を買い求め、これから向かう海浜公園での弔いと、もうすぐやって来る沖縄の旧盆で使うことにする。

### 島の人々の重い口調

通りすがりの婦人に、このあたりに二・二八事件のことを知っている方はいませんか、と聞くと、すぐ近くの浮雲寺横の老婦人を教えてくれた。ちょうど玄関を掃き清めているところを、自己紹介をして話しかけてみた。白髪がきれいなKさんという八九歳のおばあさんで、しっかりした日本語で話してくれた。

「私が二〇代のころ、この辺りは朝鮮街といわれ二〇数軒あったらしい。料亭もあったそうだ。自分は遠くからここに移って来たので詳しくないですが」

路線バス最終折り返し地点の和平島バス停から基督長老教会、変電所周辺を歩きまわる。前日中正区公所でいただいた戦前戦後の地番対照表を見ると、このあたりの平一路が青山恵先居住地であったということが分かる。この書面は丁単位の表示でしかなく、厳密な番地が記されてないが社寮町二五五番地、私が生まれた場所はこのあたりのようだ。

そのような想いを込めて、目の当たりの光景の中に何かしらの痕跡がないだろうかと、筋道を丹念に練り歩く。二階からカラオケが聞こえてくる。「老人福祉集会所」前で三名の婦人が談笑しているので話しかけてみた。クバガサをかぶった七〇代前半の主婦が笑顔で対応してくれる。今度は日本語が話せないので、通訳のY女史に手伝ってもらう。

沖縄から来ました、七〇年前ここで生まれた者です。これから海浜公園を歩きまわります。昔ここで悲しいことがありましたが、ご存知ですか

「そうね、幼いころであまり覚えてないが、大人たちからあの辺（東側の海浜岩礁地帯）から夜な夜な泣き叫ぶ声や、助けてと叫ぶ声が聞こえてくると言われ、とても怖かった。昼間でも怖くて

日本統治時代、琉球人集落があった平一路。青山家（社寮島町 255 番地）はこのあたりにあった。右側に和平島長老教会が見える（2013 年撮影。高誠晩氏提供）

誰も立ち寄らなかった。たくさんの人が殺されたところですよ、今では立派な納骨堂もできて供養もされて、観光客も多いですが」

　写真を撮ってもいいですか、と尋ねると、首を横に振って笑顔でお断りされた。すこし歩いて行くと、ここでも立ち話をしている老婦人に話しかけた。聞くと「九二歳」と言い、日本語が返ってきた。かつて福州街に住んでいたらしく、にこやかで上品なおばあさんである。もう一人は日本語が通じない五〇代後半の主婦だが、しきりに戦後は学校の先生だったという老婦人を褒めたたえていた。

　恵先や先澤の写真を見せて「私はここで生まれました」というと二人はとても驚いた。さらに「父が二・二八事件で行方不明になり今日はいろいろと調べに来ました」と告げると、急に険しい顔になった。

「私は日本の軍人家庭で女中をしていて、ご主人様も奥様もたいへんいい人でした。その後におきた事件は恐ろしくてみんな忘れることとしました。琉球の人たちとも仲良くしていましたよ」

さらに詳しいことを聞こうとすると、手を横に振って、これ以上は触れたくないようであった。二・二八事件後の一九四九年、国民党が国共内戦で敗れたとき、大陸から多勢の民間人も国府軍を追って基隆港に上陸して来た。この人たちが基隆に住みつくようになると、本省人と外省人の関係や街の様相は一変し、二・二八事件に対するスタンスはそれぞれ複雑で微妙であると聞いたことがある。校長や彼女たちの〝重い口調〟の背景には、タブーにされてしまった歴史が今も重く引きずっていることを実感した。

## 千畳敷海岸

母方の祖父が働いていた、かつての「景点地図」にある報国造船所ゲート前に来た。社寮町二四五番地の祖父宅からは直近だったのだ。ゲート前を通り、魚や野菜のある小さな市場を抜けて正濱地域の水産会館の対岸に出た。あたりは造船所や水産試験場、日本人宿舎があって、軍港要塞・基隆においても、特に国策上の重要な拠点であったところだ。

長老教会のある最終バス停を経て、島の東北端にある和平島海浜公園の海蝕奇岩礁地帯に来た。惠先らが八尺門漁港周辺で捕らわれてここで〝処刑〟されたといわれる千畳敷海岸である。

公園ゲートで入場料金六〇元（約二〇〇円）を払い、東側の千畳敷船溜りへ向かう。

あたりの景観は、初めて来た二年前とは一変し、芝が敷きつめられ近代的に整備され、トタン屋根の船溜りは姿を消している。

真夏の暑い陽差しを避けて奇岩礁から沖合いの基隆島が見える木陰で、沖縄から持ってきた泡盛や黒糖を供え、天后宮の紙銭を焼き線香を点け、基隆島を遠くに正視して手を合わせる。

二〇〇七（平成一九）年に参加した「二二八事件六〇周年記念中央式典」から早や六年経つ。二〇一三年、一〇五歳で大往生した先澤叔父のことがふと頭に浮かぶ。手前の東側を見ると、小高い丘に昔は沖縄人の無縁墓だったという社寮島外萬善堂がある。今は、沖縄の御嶽や鎮守の杜のように島内の安寧繁栄と無病息災を祈願する堂廟となって、島の人々からは萬善公といわれ親しまれている。以前とくらべ格段と大きくなって整備され、今日も参拝者が絶えない。ここでも香を焚いて手を合わせる。

萬善堂から右へゆるやかな坂を登って北側の海岸域へ下りて行く。三、四㎞先の沖合に三角型の基隆島が浮かび、奇岩や岩礁が広がる景勝地を一望する展望台に立つ。丸いボール状の頭が突き出して林立する大小の巨岩の形容は、この地で最期をとげた犠牲者たちの姿に映り、無念の叫び声が聞こえてくるようだ（表カバースケッチ）。傍らのでこぼこの岩壁にはかつてのオランダ軍の遺跡（一六〇〇年代初頭）「蕃字洞」が口を開けている。

北側の海岸広場に下りて観光施設の店内でひと休み。三七、八度の猛暑の中ひんやりした館内でグアバのアイスクリームを頬ばる。店で働く中年男性にかつての事件のことを聞くと、「今はこうして観光地になって賑わっていますが、私が小さいころこのあたりは怖いところでめったに来なかったですよ。事件があったことは知っていますが、みんなあまり話したがりません」

## 祖母が眠る山々

和平島から一二㎞ほど離れた九份へ向かう。かつてのゴールドラッシュで隆盛した山村の街九份。今は人気の観光地でもあるが、あたりは瑞芳というところで、戦時米軍空襲の際は社寮島の琉球人集落の人たちの疎開地のひとつであった。「お前が二つのとき軽便に乗ってズイホーへ避難した」と母から何度も聞かされた。祖母ゴゼイはここまで避難して来たというのに、ある日仮家を一人で出て行ったまま帰ってこなかった。祖母は今もこの山林のどこかで眠っている。

祖父・賀篤は、戦後沖縄に引揚げた後に、祖母は自宅で病死したという死亡届を役場に申告している。「失踪宣告」は行方不明から七年後以降に家庭裁判所へ申立てることになっている。四人に一人の戦争犠牲者を出した当時の沖縄では「失踪宣告」という認識はなく、ほとんどの遺家族が「失踪宣告」の手続きはとらず、役場も問わず語らず遺家族の申告通り「病死死亡」として、当然の如く受理したのであった。祖母ゴゼイは、沖縄県南部摩文仁にある「平和の礎」に、戦争犠牲者のひとりとして刻銘されている。

九份からの眺望、右に基隆島、左彼方に和平島が見える（筆者撮影）

九份は、山間の起伏に富む昔日の風情を残し、レトロな情緒ある雰囲気が人気の観光スポット。名物のお茶と九份芋圓（タロイモ煮）で腹ごしらえをして、観光客がごったがえす上り下りの狭い筋道や階段を歩きまわる。展望台からは山海の大パノラマが広がり、遥か彼方、左に社寮島、右に基隆島が浮かんでいる。

台北への帰りの道すがら、九份からまもなく瑞芳の坂道に寄り添う集落に来たとき、運転をしてくれるTさんが車を止め、木々が生い茂る坂下の中にぽつんと立つ平屋を指さした。「あの廃屋は私の父が生まれ育ったところです」といってみんなを驚かせた。彼の脳裏に、このあたりに戦時中、疎開していたという私の話に自分の家族の遠い過去のことが重なったのかも知れない。Tさんが指さした廃屋の前で下車し、この地で眠る祖母への想いを込めて合掌した。Tさんはここで生まれ育ったことや地域の歴史などを話し、校舎が並ぶ学校らしいところに来ると、「この小学校は私の母校です」というのであった。高校、大学は台北で過ごした二〇代後半の青年教師である。九份からかつての台湾最大の炭鉱地帯であった山間をまたいで八堵駅に出て来た。ここは二・二八事件のなかでもさらに特異な虐殺事件「八堵事件」の現場として知られている。国民党政府軍の鎮圧部隊が基隆港へ来た一九四七年三月八日の三日後の一一日朝、基隆駅から数㎞手前の台湾鉄道八堵駅舎に国民党軍が襲撃し、駅長はじめ駅員一七名が捕らわれて惨殺され、翌朝基隆港に死体となって浮かんでいたという。

今では虐殺事件があったとは微塵にも考えられないほど、基隆河の上流域にあって緑に包まれた静かな佇まいである。一九九四年、駅構内に追悼記念碑が建てられた。

瑞芳、九份を訪ねるたびに祖母のことが頭に浮かんでくる。母・美江の母親であるゴゼイの〝失踪〟については「第三章　戦時空襲、疎開」の項でも触れてきたが、母が晩年まで引きずった心の病の発端は、そのときから始まったのではないかと考えている。

## 母のこと

沖縄県国頭村から、「蓬莱の島」といわれた台湾へ大きな希望を抱いて渡った母・美江は、一九四二（昭和一七）年九月、青山恵先と結婚、一年後には長男・恵昭（筆者）が誕生し順風満帆の船出かと思われた。しかしそれは束の間のことであった。やがて恵先が戦争に駆り出され、思いもよらない災いが次から次へと家族と自身に降りかかり、社寮島の琉球人集落にも、あっという間に戦争の暗雲が立ち込めて来た。

二年前に中国大陸に駆り出されたが無事帰還して来た兄の賀次郎（三二歳）が、基隆沖合で漁撈中、不慮の爆発事故で即死した。賀次郎は一年前に結婚して妻子がいる身であった。日本軍の台湾北部の一大要塞基地であった社寮島は真っ先に米軍空襲に見舞われ、恵先がベトナム、先澤はフィリピンへ徴兵されてしまった。

終戦後、敗戦国民になって疎開先の山々から下りて来た社寮島の琉球人たちは、奈落の底に落とされ、着の身着のままで引揚船を待つという〝難民〟に陥っていた。

母の妹しづ（当時二六歳）は、台湾から鹿児島へ美江と一緒に引揚げてきたが、沖縄に来てまもなく病魔に襲われ亡くなってしまった。母はそのころ、和裁及び和装着付けを生業とし、結婚披露宴の花嫁衣裳着付けでは国頭や大宜見地域で名が通り各地から呼ばれて出張着付けをしていた。しかしそれだけでは暮らしは立ち行かず、米軍基地の軍作業をするようになっていた。

私が中学校二年のとき、祖父賀篤が急死（七二歳）した。その一年半後、母に異変が起きた。突然、昏睡状態の意識不明に陥り、米軍ヘリで、直近の中部の米軍陸軍病院へ救急搬送された。その数日後、あの「宮森小学校ジェット機墜落事件」という大事件が発生し大騒動の中、米軍病院から那覇の病院へ移されていた。

そのとき母は四六歳。今でいうトラウマ（心的外傷性ストレス障害）を発症していた。暫くして自宅療養になったが、時折発作に見舞われ精神科病院の入退院を繰り返していた。当時そのような病は統合失調症とか躁鬱（そううつ）症を一括りにした「精神病」として、一部には偏見視されるようなこともあり、まわりでは表沙汰にはされなかった。

その後回復し、数年間は派遣家政婦として踏ん張り、自ら「電気治療業」を経営し那覇と国頭で比較的安定した暮らしを維持していた。そのころの母はよく啄木の詩を読んでいた。母は一〇代後半、関西の紡績工場で石川啄木に心酔したようで、台湾生活を経て実家のヤンバルまで持ち続けてきた歌集『一握の砂』を暗唱し、心のよりどころにしていた。

私の結婚後、日ごろは孫たちの世話や家事をこなしていたが、私たち夫婦とのトラブルや奇行が起きることが時々あった。当時、母のそのような行動に対する認識が希薄で、適切な対処ができなかったことが今もって悔やまれてならない。

八〇代になると身体的な衰えが目立ち始め、老人介護施設に入所した。盆、正月には自宅で孫たちと会えることを楽しみにしていた。マスコミ取材のたびごとに、口癖のように「戦争はダメ、戦争がなければこんなことにならなかった」と語っていた。

カジマヤー祝い（風車祝、数え九七歳の長寿祝い）は通常旧暦九月七日前後に行なわれるが、母の具合が心配なので、半年前の旧正明けに前倒しした。それから半年後の二〇一〇年九月一五日に

カジマヤー祝い（2010 年３月）

生涯を閉じた。惠先の失踪事件認定の取り組みは端緒に着いたばかりで、効果的な手だてが尽くせず、行方不明と失踪というだけで止まったままであったことに悔しさがつきまとう。

亡くなった母の遺品を整理していると、ワラ半紙一枚の手記と母の妹しづの小さな黒表紙メモ帳が出てきた。

母の手記には鉛筆書きで、昭和十年渡台惠先、昭和十五年渡台美江、基隆市社寮町二八番地、そして父、母、妹しづ、惠昭の生年月日や本籍住所等々が書かれている。しづのメモ帳には台湾からの引揚げ時に万年筆で書いたと思われる帰国證明書、乗船編成番号や荷物番号等々と同乗グループ数名の氏名と帰還地住所がある。

また、鹿児島滞在中の母の筆跡で、日々の生活費を稼ぐため自から天文館街で売りさばいたと思われる桜島大根の漬け方や調理方法がびっしり記されている。これは、当時三歳だった自身のまわりで起きた出来事であり、必死に生きて来た家族の終戦直後の動乱期の「逃避行」を書き留めた証である。二つの遺品はおそらく、台湾から引揚げたときから二年近くの鹿児島滞在を経て沖縄へ渡った直後ではないかと思われる。

母の手記は、父失踪の真相を手繰り寄せ真実を解明して行くことを求めて、あらためて息子の前に現れたのであった。

長寿祝いの場で親戚縁者から「旦那さんの分までもっともっと長生きしないとね」などと言われて車椅子を揺らしてカチャーシーを踊っていたことが、昨日のように想い出される。

# 第七章　法廷へ

## 申請のきっかけ

二・二八事件の賠償請求に関する認定申請について認識もノウハウも持ち合わせてなかった折、思わぬところからきっかけをつかむ機会がやって来た。

二〇一一年三月、沖縄県平和祈念資料館と台湾台東県の台東生活美学館の共催で「台湾と沖縄の子ども絵画交流展」が開催され、一年前に台東でお世話になった台東大学教授で書画家の林永發氏と行政院文化建設委員会（日本の文科省）次官の洪慶峰氏が来県した。

台湾の子どもたちの絵画は、戒厳令下の白色テロ時代、政治犯を投獄した監獄島といわれた緑島の小学生の作品で、前年、蘇振明画伯に誘われて訪ねた島であった。林氏には、台東市街地郊外にあるアトリエ工房に招かれ宿泊し、お世話をいただいていた。子どもたちの二〇数点にわたる作品は平和をテーマにした実直で大らかな作品が展示され、沖縄県内の新聞・テレビで報道され反響を呼んだ。

その際林氏から開会式セレモニーに招かれた。林氏が洪氏に対して「青山さんは台東の私のアトリエで一泊して一緒に絵を描いた。基隆生まれの湾生で父親が二・二八事件の受難者である」と紹介した。すると洪氏は驚いて、「沖縄にも二・二八受難者がいたとは知らなかった。たいへんでしたね、私は二二八基金会の理事をしている。認定賠償請求を出しましたか」と問うてきた。そのような手続きについては何も知りませんというと、「あなたのメールアドレスを教えてください。台湾に帰ったら手続きのマニュアルについて秘書から連絡させます。二二八基金会にも伝えます」と語った。

それから三日後、帰国した洪氏の秘書から日本語による電話がかかって来た。

「認定申請書は、失踪宣告確定書類、被害者と申請人の戸籍謄本、住所氏名、生年月日、事件遭遇までの経過や証言も詳しく書き、必要な添付書類を揃えて基金会へ提出してください。詳細については基金会へ問い合せてください」

洪氏の迅速な対応には心からの感謝を述べ、さっそく申請書をつくりはじめた。しかし、二二八基金会からは、身分認定申請と明記すること、メールアドレスと必要な添付書類のリストは教えてくれたが、所定の申請書マニュアルはなにも示さなかった。日本人向け、外国人向けの申請書は無いのか、このような重要文書をメールで送っていいものかと懸念を持ちつつも、そういうものなのだと妙に納得しながらすすめた。後で分かったことだが、外国人対象は初めてで、それ用の文書も無かったということであった。

タイトルは教えられた通り「台湾二二八事件被害者身分認定申請」として文書形式はマニュアルがないので、自分勝手な考えでつくった。事件遭遇の経過に関しては、一九九三（平成五）年の失踪宣告申立ての際の青山先澤とその妻ミネの証言を活用。添付書類は戸籍謄本、失踪宣告審判書、惠先と美江の結婚記念写真、戦地からの軍事郵便はがき、等々一〇点をＰＤＦにした。中国語翻訳は沖縄の専門家に依頼し、二〇一一（平成二三）年三月二四日付、Ｅメールで「財團法人台灣二二八事件紀念基金會」と表記して送付した。

## 監察院高官来沖

申請書を提出して一年余りが過ぎた。しかし基金会からは反応はまったく無い。どうしたものかと思案しているところへ、台湾から監察院の高官・黄煌雄委員が沖縄に入り、二・二八事件と沖縄に関する現地調査を行なうことになった。

監察院とは何なのか、ネットで調べてみると、台湾の行政院・立法院・司法院・考試院とともに五権分立の一つであるという。役割は、弾劾（起訴）、懲戒等に関する権限を持ち、公務員・国家機関の不正弾劾、会計監査等の国政調査を行ない、監察委員（二九名）は総統が指名し立法院（国会）の同意を得るとしている。

監察院高官来沖。写真は、起立する黄煌雄氏、右へ台北駐日経済文化代表処那覇分処粘信士処長、他に又吉盛清氏、楊孟哲氏と犠牲者家族ら（高誠晩氏提供）

二〇一二（平成二四）年五月一三日、台北駐日経済文化代表処那覇分処において、沖縄側は世話役として沖縄大学又吉盛清教授、犠牲者家族として青山恵先と仲嵩實の家族がよばれた。青山恵先家族は長男の私と孫の安座間奈緒、仲嵩實家は長女徳田ハツ子と孫の當間ちえみ他数名が出席した。

黄煌雄委員は、犠牲者家族との対面の場で「個人的」と断ったうえで、二・二八事件における責任について謝罪、「今日、聞き取りしたことを有識者でつくる院内調査委員会に報告する。真偽の途中経過は遺族にしっかり伝えたい」（『琉球新報』）と話し、「法にのっとって対応を検討する。真相を明らかにし、共に平和と友好を築いてゆきたい」（『沖縄タイムス』）と真相解明に向けての決意を示した。

途中、マスコミ関係者などを席払いし、犠牲者家族だけとの話し合いがあった。黄氏は「沖縄の人が二・二八事件で犠牲になった可能性は高い」と語り同情の意を寄せた。私からは、「一年二か月前、二二八基金会へ青山恵先の身分認定申請を提出したが反応がない」ことを述べ、善処方を要請した。黄委員は提示した申請書コピーをめくり「分かりました。これはおかしいですね。帰りましたら基金会へ問い合せします。基金会に青山さんに連絡するよう話します」と約束してくれた。

二か月後、二二八基金会から二〇一二年七月一三日付で、「監察院から通知が来たので報告する」旨の文書が届いた。

〈認定賠償請求申請期限は二〇〇四年一〇月四日に終了した。但し、青山恵昭から既に提出された申請書は、「歴史の傷を癒す」精神に照らし、責任をもって保管し、後日「二二八事件処理及び賠償条例」の改定により受理可能な際、直ちに当事者が正式に申請できるよう連絡します〉

時限立法という期限制約があって、立法院条例（法）が改定され申請再開時まで申請書を保管し連絡するということである。

それから二年後の二〇一四年二月、沖縄からの追悼の旅で台湾へ行った際、楊孟哲氏を通して黄煌雄委員から沖縄の参加者一〇数名が監察院に招かれ、昼食弁当をいただきながら親しく歓談しねぎらいを受けた。外国人である犠牲者家族に対して心から寄り添うという氏の人柄が偲ばれるひとときであった。

最近分かったことだが、黄煌雄氏は一九八二年立法委員（国会議員）として在任中、議会で当局に「二二八事件の受刑者の釈放を求める」と訊問するなど、人権擁護の立場で活動をした人物であった。（薛化元『二二八事件の真相と移行期正義』）

## 正式申請

二〇一三年五月二七日、私の七〇歳の誕生日に、インターネットから「台湾立法院が二二八事件条例修正案を可決」という情報を得た（Radio Taiwan International）。内容は、馬英九総統によって「二二八国家記念館」が設置されるということであったが、もしかしたらという思いがあってメールで二二八基金会へ問い合せたところ、翌二八日、次のような文書連絡が入った。

〈立法院で四月三〇日に可決された『二二八事件処理及び賠償条例』修正案により、当会は二〇一三年五月二四日から二〇一七年五月二三日まで、二二八事件受難者としての認定と賠償に関する申し込みを受理します。青山恵先については二〇一一年三月二四日に提出されているので、公式に審査の手続きが始まります〉

問い合せた日は、賠償法令が立法院（国会）で議決され、申請受理が再び始まって三日目であった。さっそく追加の資料作成に取り掛かり、より深くより広い対応策を講じるために、直接台湾へ渡り、基隆市当局や図書館、和平島の聞き取り調査を実施することにした。

七月下旬、京都大学大学院に学び東アジアの人権問題を研究する若き学究者のKさんの協力を得て基隆市に入り、和平島では、かつての社寮島時代の故事地図に琉球埔、福州街、朝鮮楼

二二八国家記念館（財団法人二二八事件紀念基金会提供）

と記された地域を歩き回り数人のお年寄りから聞き取りをした。基隆市図書館では父の事件遭遇と重なる、社寮島八尺門漁港における二・二八事件虐殺事件をテーマにした「船寮事件展」が開催され、初めて見る貴重な写真、資料に接した。その後、基隆港で殺害された人々の遺骨が収納されたといわれる市街地山麓の「南栄公墓」を訪ねた。

二〇一三年八月二日、認定賠償請求申請を正式に提出するために、台北市南海路の二二八国家記念館に併設する「財團法人二二八事件紀念基金會」を訪ねた。事前に連絡を取ってあったので、廖繼斌執行長と柳照遠主任が迎えてくれた。執行長は三度目、主任は初めての対面、通訳は沖縄県台湾事務所を介して台湾琉球協会から紹介された楊佩蓁（ヤンエリカ）女史であった。

前項で述べた通り、申請書は二〇一一年三月に提出してあった。執行長は監察院から指摘された経緯を述べて謝罪、「今日この場で受理します」と語った。

「審査」

しかし思わぬ方向で、その場が直接対面による「審査」の場となった。執行長はいきなり、私が提出した申請書の内容に対する真偽の如何を問いただすというのだ。その場で「審査」されるとは事前に聞いてなく準備はしてないので面食らったが、拒否する理由もなく、従うより他はなかった。

「これまでの経験から、様々な虚偽申請がありましたので、やむなく事実かどうか、文書の真偽について確認するために、失礼なことを聞くかもしれませんがお許しください」

基隆市社寮島での事件遭遇と目撃証言等々を問答して、大きく三点を問いただされた。

一つ目は失踪宣告の経緯。二つ目に二〇〇七（平成一九）年二月二八日に開催された「六〇周年記念追悼式典」参加について。三つ目にその後の台湾往来について、何処へ、誰と、何を、等々微に入り細に入り突っ込んできた。私はつい身構えの体勢を取った。

**一、失踪宣告について。**

執行長　失踪宣告の申立ては、一九九五（平成七）年に二二八基金会が創設されたときと重なる。それは補償金が目的ではなかったか。

青山　この言いようは極めて恣意的だ。一九九三（平成五）年八月、沖縄県の那覇家庭裁判所へ申立て、翌一九九四（平成六）年八月に確定した。補償金目的というが、長年にわたって行方不明の夫を追いつづけ、苦難の生涯を強いられた人間の気持ちを愚弄するものだ。母と私がようやく区切りをつけた失踪宣告の確定については、沖縄のマスコミも注目して新聞・テレビが我が家に取材にきて大きく報じられたことだ。

執行長　その新聞を是非見たい、沖縄に帰ったらぜひ送っていただきたい。

**二、六〇周年記念追悼式典参加について。**

執行長　台湾行きは誰が呼びかけて参加したのか。空港ではだれが迎えたか。

青山　誰かに連れてこられたとでも言うのか。私は自らの考えで真実を解明しようと思っている。その私を応援しようと考える沖縄の研究者たちと一緒に来たのだ。迎えに来たのもやはり二・二八事件の真実と真相を解明している台湾の方々だ。

**三、最近の台湾往来ついて。**

執行長　さいきん、台東の緑島などへ行ったようだが、誰と何をしに行ったのか。

青山　監獄島といわれる緑島は南アフリカのマンデラさんが閉じ込められていたロベン島みたいなところだ。その実態をみずからの目で確かめたい。そして、素晴らしい島の景色をスケッチしたい。誰と行こうが私の自由であって、プライバシーに関わることに答えようも無い。

いきなりの対応に条件反射で〝抗議〟もしたが、二時間あまりのやり取りは〝査問〟をかけられた印象が強かった。その後、柔和な顔になった執行長は、「失礼なことも申しました」と冒頭のことをくり返し、「お父様に対する気持ちが良く分かりました」と恭しく頭を下げた。そこで前々年にメールで提出してあった認定賠償申請書を私の前に置き署名を促した。二〇一三（平成二五）年八月二日の日付を書き、署名をして正式な提出、受理となった。

さいごに、私から「認めていただきますよう、宜しくお願い申し上げます」というと「これから上部機関にも上げますので、今は何とも言えません」と返って来た。私は即座に「人権に、国境はありません」と応えてこの場を後にした。

上部機関という言葉が胸中突き刺さったが、このことがやはり後々の大きな重石になった。このとき、これは「たたかい」になると認識を新たにした。

## 犠牲者家族会結成

この「審査」の前々年（二〇一三年）に監察院高官が来沖したとき、犠牲者・仲嵩實の長女徳田ハツ子さんと初めて会うことができた。仲嵩實の弟である弘さんとは与那国島で三度も会ったことはあるが、申請者の資格を持つ最も近い直系の人物と対面したのである。

その後、与那国島のもう一人の犠牲者、石底加禰の三女具志堅美智恵さんとも知己を得ることが出来た。

そしてさいごに、以前から事件犠牲者家族としての意思疎通があった石垣島出身の犠牲者・大長元忠の次男大長直利さんと連絡を取り、既に故人となった長男利幸の妻で県内在住の大長弘子さんと連絡を取り合うことができた。

ここへ来て、県関係遺家族の四家が連絡を取り合い共に手をつなぐ場を設けようと、二〇一四（平成二六）年一月二九日那覇市内で「台湾二・二八事件、真実を求める沖縄の会」を結成する運びとなった。その場で台湾花蓮市で開催される予定の「六七周年二・二八事件追悼中央式典」

遺族、真相究明誓う

台湾2・28事件　県内被害者の会結成

「2・28事件」の県内出身犠牲者の冥福を祈って黙とうする参加者＝29日、那覇市の県男女共同参画センターてぃるる

1947年に台湾で推計2万人以上の死者を出した「2・28事件」の県内犠牲者遺族や支援者でつくる「台湾2・28事件、真実を求める沖縄の会」（青山恵昭代表世話人）の結成会が29日、那覇市の県男女共同参画センターてぃるるで開かれた。犠牲者遺族ら約30人が参加した。同会は今後、台湾政府への犠牲者認定申請や証言者の調査などに取り組み、事件の真相究明を目指す。

同会の前身となる「2・28事件沖縄委員会」の調査によると、現在判明している県出身犠牲者は青山恵先さん、仲嵩実さん、石底加禰さん、大長元忠さんの男性4人。遺族らはこれまで台湾政府に報告書を提出し、犠牲者認定と賠償を求めていたが、台湾以外の犠牲者を補償する法律がなく、賠償期間も2007年に終了したことから、暗礁に乗り上げていた。

その後に台湾で賠償期間の延長を求める声が強まり、昨年5月に台湾立法院は賠償期間を17年まで延長する法律を可決した。これを機に県出身者遺族は「被

沖縄の会結成会 2014 年 2 月 29 日（琉球新報社提供）

への参加を決め、ひと月後、三家族一二人と研究者、支援者を含めて二三人が「台湾二二八沖縄会」（略称）として追悼式典へ出席した。

台湾東海岸の花蓮市で開催された式典では、沖縄からやって来た犠牲者家族に現地マスコミも注目、日本のマスコミ各支局も積極的に取材した。主催者からは式典会場や基金会訪問の際に丁重なもてなしを受け、国民党政権の馬英九総統も壇上から降りて来て沖縄参加者一人ひとりと対面し握手した。この機会に、青山惠先の曾孫にあたる小学校一年生の安座間徳（あざまめぐむ）君も同伴し、追悼式典では総統が立ち寄り、徳君の小さな手を握り頭をなでてくれた。

花蓮の式典終了後、車と電車を乗り継いで北上し、与那国島から一番近い宜蘭県南方澳（蘇澳南方）を訪ねた。ここは、基隆市社寮島と同じように一〇〇人ほどの琉球人集落があったところで、仲嵩實と石底加禰が与那国島からひんぱんに往来し、敗戦直後の引揚げの際は、宮古、八重山の人々が大勢押しかけたところである。現地では日本語が達者な珊瑚漁で有名な黄春生さん（八六歳）が迎えてくれ、かつての琉球人集落跡等を案内してくれた。

基隆市では市役所庁舎前で、台湾二二八関懐協会（二二八犠牲者家族協会）幹部の周振才氏（長寿歯科医院長、台北医科大歯学部卒）の出迎えを受けた。周氏は日本の能登島町歯科診療所勤務の経験がある方だ。

市東北部の和平島へ向かい、周辺海域から発掘された虐殺事件犠牲者の遺骨が収納されている社寮島外萬善堂で、この周辺で最期を遂げたと思われる仲嵩實、石底加禰、青山惠先の三人の犠牲者の供養弔いを行なった。沖縄から持ってきた供え物を供え、徳田ハツ子さんが与那国島の鎮魂歌としての民謡を切々とうたい、一同の涙を誘った。

さらに、大長元忠が犠牲になった台北市北投へ足を延ばし駅長として勤めていた北投駅前で、大長弘子さんはじめ参加者全員で追悼の祈りを捧げた。

## 申請却下

二〇一四年一二月一七日、財団法人二二八事件記念基金会陳士魁理事長名で青山恵先の認定賠償請求を却下する旨の書簡が届いた。一二月一二日付の二二八基金会理事会決議書である。

却下文書に付随する経過表をみると、まずは二〇一四年一一月一八日の審査小委員会で本案成立、一一月二九日の理事会でも同様に成立し認定賠償は決まっていた。しかし、一三日後の一二月一二日の理事会では真逆の不成立=却下となった。

そのとき、二〇一三年八月二日、二二八基金会を訪問して審査の質疑を受けた際に、執行長がさいごの席でさりげなく吐露した「上部機関」という言葉が頭をよぎった。却下の理由は大きく二つあった。

一、国際法上の平等互恵の原則によりに日本人には適用できない。

一、国家賠償法及び特別法である「二二八賠償条例」では外国人は適用できない。

基金会理事会が開催された一一月二九日から一二月一二日の間に、上部機関という当局内政部によって覆されたのである。その理由は、台湾籍元慰安婦と台湾籍旧日本兵に対する日本政府の戦後補償がなされてない、だから国際法上の平等互恵の原則に反する。そして、台湾の賠償法では外国人には適用されないということである。

振り返ってみると、二・二八事件で父が失踪したという事実認定については何ら異議はなく成立していたのだった。認定しながら賠償はできない。その矛盾はどう理解するのか、できないのか。

審議の結果分類は、一・本案成立、二・本案不成立、三・一部成立、四・事実認定困難・提請採決の四通りとされているが、この案件は「四の提請採決」に該当し当局内政部の意向で理事会決定が覆されていることが分かる。

沖縄県内各紙は、見出しで「外国人は法適用外、日本の戦後未補償も理由」（『琉球新報』）、「台湾却下『法令ない』、日本補償不十分遺族にツケ」（『沖縄タイムス』）と報道した。

知人や友人、支援者の方々から、「残念です、心境は如何ばかりか察します。国が決めたことだから仕方ない、諦めるより他ない。気持ちを落とさないでください」等々、同情、激励、教示の言葉をいただいた。

しかし私は無念の気持ちを抑えて、「諦める訳にはいきません。青山惠先は二・二八事件の犠牲者であることは認めています。人をあやめたことを認めて謝罪も補償もないという道理はありえません。人間の尊厳、人権に国境はないということを、諦めることなく訴えて行きます」と、引き続きのご支援ご協力を求めた。

## 不服申立て

実は却下通知書には「不服があれば、ひと月内に申立てなさい」という一文があった。支援してくれる県内の研究者、弁護士と相談の上で文書を作成し、年明けの二〇一五年一月七日には日本語で、三日後の一月一〇日には中国語翻訳文を発送した。

貴会当局におかれましては、犠牲者青山惠先の認定申請において、二二八事件に遭遇し失踪したことを真剣に調査され誠実に対応されました。改めて心から感謝を表するものであります。

しかし此度の「通知」では政府の内政部の判断に基づいて、外国人適用の法的根拠がないということ、加えて日本国の台湾に対する戦後補償に大きな問題があること等によって青山惠先の賠償が「困難」であるとされました。

大変残念であり失望しております。犠牲者青山惠先と今は亡き母美江の子として厳然と不服申立てを申し上げます。

貴会当局が困難とされる理由として、国内法には日本人を含む外国人に対する適用条項が無いからとあります。それは人権擁護の世界的到達点からみても論外であり通用しないと考えます。今や、世界人権宣言やそれに繋がる「強制失踪防止条約」からみても乗り越えなければならないことであります。

日本の台湾に対する戦後補償のことは私たちにとりましても忸怩たる想いあり、共感するところがあります。しかし僭越ながら、今こそ人類の平和希求の観点から台湾の良識と良心を世界に示し、高い見地から能動的に法的な問題を解決していただきたいと思います。

却下の通知は、夫と父を失い奪われた私たち家族にとりましては、到底納得できません。その後の母と子の人生が如何に苦難な道のりであったか、ひとりの無辜の人間が理不尽に闇から闇へ葬り去られ抹殺されていいのでしょうか。人間の尊厳、人権とはいったいなんでしょうか。

就きましては、此度の貴会当局の決定に対して大いなる不服を申立て、再考再検討を強く求めるものであります。

その後、基金会理事長、行政院秘書長（官房長官）、行政院長（首相）から半年後の二〇一五年七月八日までの間に公文書が五度も届いた。前半の二件は当局から直送、後半三件は台北駐日経済文化代表処那覇分処を経由して郵送された。

一月一三日付、基金会理事長から、不服申立書を受理した旨。
一月一九日付、行政院秘書長から、戸籍謄本等の資料請求。
三月三日付、基金会理事長から、行政院から請求された不服申立てに関する答弁書。
五月八日付、行政院秘書長から、訴願審議委員会で審理決定を二か月間延長する旨。
七月八日付、行政院長から、再審査の訴願を却下決定。

その間の三月六日、NHK・BS1の「国際報道2015」にて特集「台湾で消えた父、償いを求めて～『二二八事件』遺族の六八年～」が放送された。内容は、事件発生から青山恵先が犠牲になったこと、しかし日本の戦後補償問題などで却下されたことが詳細に説明され沖縄でも反響を呼んだ。報道を見たという台湾で支援する方々のあいだでも大きな話題になったという。

行政院長から二度目の却下

二〇一五年七月二二日、毛治國行政院長から台北駐日経済文化代表処那覇分処を通して却下す

る旨の決定書が届いた。（抜粋、翻訳：姚逸葦）

行政院決定書

主文：
訴願を却下する

事実：
二〇一三年一一月二九日の基金会理事会の結論は「人権保護は国籍を問わざる」という理念に基づき「二二八事件賠償条例」を適用すべきだと認めた。遺漏を避けるため、外国人適用が可能かを調べる為内政部へ送った。内政部は平等互恵の原則に従い日本国民は適用されないと認定した。基金会の管理機関である内政部は既に明快な解釈を下したので基金会は内政部の意見を尊重した。

訴願者（青山恵昭）は、『世界範囲で通用する人権保護の観念から見れば外国人不適用とする観点は成立しない、世界人権宣言の強制失踪防止条約もそのような阻害を乗り越えるべきとなっている、台湾に対する日本の戦後補償（未補償）は評価できない、本案を契機として全人類の平和願望から出発し台湾の良心を全世界に示し、広い視野で硬直した法を解釈することもできよう』と基金会の結論を受けづらいと訴え、本案の再審を願っている。

理由：

事件の真相を調査するために（略）警察（等々の国家機関や基隆市の諸機関）に公文を送ったが青山惠先に関する文献や記録が見つからなかった。しかし、監察院の調査意見、失踪宣告過程、沖縄のマスコミ報道、専門家及び学者の意見等を参考にし（略）受難事実が存在した可能性を認めた。日本と国交断絶以降は同じ類型の案件判例は無かった。日本の裁判所は平等互恵の原則を我が国民に適用してない。我が国民が日本政府に補償金を請求した判例は台湾籍日本兵及び慰安婦の案件しかなかった。日本国民と同等の権利を与えなかった。

基金会は法令要件が満たさないという理由で本案を却下した。審理に依拠された規定を改めて確認したが、妥当ではないところがないため、元の処分を維持する。

以上の理由が成立できなかったと認定する。『訴願法』の第七九条第一項に依拠し、本訴願を却下する。

訴願審議委員会委員（一一名連名）

中華民国一〇四年七月八日

院長　毛治國㊞

不服があれば、決定書が届いた翌日から二ヵ月以内に台北高等行政法院に行政訴訟しなさい。

これは、総統に次ぐナンバー2の地位にある行政院長自ら却下したということになり当然のこと、馬英九政権の考え方である。ただ、最終的な決定書の中に原告の主張を肯定的にわざわざ取り入れているということは、やはり「人権と正義」を見過ごせないテーマだということであろうか。

想定はしていたものの、実際そうなると気持ちは平らでなく、複雑に交錯してくる。提訴することは前々から決めている。これからどう進めて行くか。支えて来られた諸先生や弁護士とは法的、専門的な相談を急がなければならない。二か月内に外国の司法に訴える裁判、法廷闘争となる。

沖縄県弁護士会の相談窓口や複数の弁護士事務所、加えて先輩や有識者をたずね、具体的な提訴について率直な相談を持ち掛けた。激励の言葉も頂戴したが、次のような問題点が浮かび上がって来た。

・台湾政府がノーといっている。残念だが覆すことはきびしい。
・台湾二・二八事件。弁護士も含めてほとんど知られてない。

・慰安婦の補償問題も絡んで政治的になってむずかしい。
・裁判で台湾に通うのは、費用も時間もかかりたいへんだ。
・大事なことだが辺野古（新基地建設問題）のこともありみんな多忙を極めている。
・青山一人だけのようだから。

こうした反応と懸念は、重々知っているつもりでいたが、やはり失望と非力を痛感し、孤独感にも苛まれた。それでも後に引く訳には行かない。未だ天空でさまよっている父と、いつも不安げな顔をしていた母に申し訳が立たない、ここまで応援してくれた研究者、友人、知人、親戚たちがいる。後に続く人々もたくさんいる等々、自問自答しつつ、最終的には連れ合いの憙佐子と心をひとつにして提訴して法廷で争うことを決意した。

行政訴訟

旧盆で紙銭を焚く青山家。2015 年（高誠晩氏提供）

代理人弁護士については、日本国内、県内の弁護士も視野に入れながら、台湾へ渡り又吉盛清氏と連携する台湾の法学者李明峻氏（京都大卒）と直接相談。結局台北市の南国春秋法律事務所所長の薛欽峰弁護士（律師）に依頼することになった。さっそく薛弁護士を主任として代理人を委託することを決め数名の弁護支援団をつくることになった。

二〇一五年九月一五日台北高等行政法院（台北地方裁判所）へ。原告は青山恵先の長男青山恵昭、被告は財団法人二二八事件記念基金会陳士魁理事長として行政訴訟を起こした。

当然のこと、外国における裁判である。裁判所へ出向き、訴訟代理人の薛欽峰主任弁護士、劉又禎弁護士、陳緯誠弁護士の三氏に先導されてひと通りの提訴手続きを済ませた。

記者会見は立法院（国会）会議室で開かれ弁護団や人権促進会、支援する学者・研究者が主催してくれた。「外国人初の二二八事件訴訟」ということで、日本の各支局も含めて現地の多くのマスコミ関係者が取材した。原告の私は冒頭に発言した（要約）。

本日九月一五日は、五年前に亡くなった母美江の命日にあたります。九六歳の長寿でした。提訴の理由は三つあります。一つは、外国人だから適用できない、と言いますが国際人権規約における世界的な人権意識の到達からも承服できません。

二つ目に、日本は台湾籍元慰安婦と台湾籍旧日本兵の戦後補償をしていないので応じられないとしていますが、これは負の連鎖であり、報復的措置と言わざるを得ません。

三つ目に、父はなぜ失踪させられ犠牲になったのでしょうか、そのいきさつを明らかにしてください。今こそ、人権に国境はないということ、台湾の良識と良心を世界に示してください。

記者会見の模様は現地の新聞が翌朝、テレビが当日夜のニュースで報道された。

「訴訟の代理人を務める弁護士らは一五日の記者会見で、日本側が今後、同様な理由で元慰安婦や台湾出身元日本兵らの賠償請求を退ける恐れもあり、そうなった場合、最終的に被害を受けるのは市民だと述べ、政府の判断を厳しく批判した」

沖縄タイムスと琉球新報の両紙は、「二・二八事件賠償請求、台湾政府提訴」の三段見出しで、共同配信の記事を載せた（要約）。

「青山さんは台湾政府に損害賠償を求めて提訴した。外国人では初めてという。父が事件で失踪したことは認められたが、慰安婦など戦争中の台湾人に対する賠償請求に日本政府が応じてないことを理由とし七月に却下を通知、青山さんはこれを不服として提訴した」

毎日新聞は台北発で、「台湾政府を賠償提訴、沖縄の男性『二二八事件』で父犠牲、台北の裁判所」の見出しで、六段写真入りで報じた（要約）。

「被害者の可能性は認められたものの、補償は『日本政府が台湾人日本兵や慰安婦に賠償してないため平等互恵の原則に違反する』などの理由で却下された。青山さんは『負の連鎖であり報復的措置と言わざるを得ない』と訴えた。戦時中、日本人として出征した台湾人日本兵と軍属は約二一万人に上り、うち約三万人が死亡した。戦後、日本政府は、日本人ではなくなったとして台湾人には恩給など日本人と同等の補償は認めず、弔慰金として二〇〇万円が支払われたのみ。台湾政府はこの対応が不公平だとして、日本人は二・二八事件の賠償対象にならないと退けた」

テレビ朝日は、東京から国際ニュースとして、前記の新聞報道とおよそ同様なコメントで当日夜報道された。

## 第一回公判

第一回公判は、提訴から二か月余を経て一一月二四日台北高等行政法院で行なわれた。第六法廷、原告及び代理人弁護士三名は裁判官席に向かって右側に着席、原告の右隣には同時通訳が付いた。裁判官の出廷は「受命法官」一人であった。この日は原告の訴状確認と陳述、被告の言い分を確認することが主で口頭弁論は次回が本格的論戦となる。

訴状は二一頁に及び、法廷内は静寂に包まれる中、代理人薛欽峰弁護士の厳しい太い声が響き渡った。以下、要約する。

台湾人元日本兵事件及び慰安婦事件において、日本に対し相互主義を適用せず、その国の国民を保護しないとの見解は、明らかに疑問である。この事情によって、原告に不利な決定をすれば、後ほど、日本政府や裁判所も、台湾政府が日本国民に相互の保証を与えず、わが国国民の賠償請求を棄却し、かつそれを正当の根拠とする。歴史により、各国の国民に被せる惨事は、政府間の争いによって、改めて人民に被害を生じさせてはならない。

台日国交断絶後、関連判例がないことについて、その原因が多くて単に「関連判例がない」という点から、日本国において、わが国の国民が日本の国家賠償法を適用できないとの結論を導き出すことが難しく、日本がわが国においても相互主義を適用できないと認め難い。

我が国は人権大国として自讃している。二・二八事件において、移行期正義を実現するためには、本件訴訟判決を台日二国の相互主義の実質的表現とされ、二国政府に対し過去の誤りを認め、国民の国に対する賠償請求権を実現することを促進することになる。訴願決定機関は日本国がわが国に対し、実体的な相互主義の保証がないと認めたのであれば、本件は貴裁判所のひとつのきっかけとされ、台日二国間の相互保証を実現する第一歩である。

もし二国の政府はこれを言い訳として、過去の誤りに直面したくなく、個別の人民の権利を、再三再四無視するのであれば、歴史の傷を治せず、人権保障という価値を違反することにもなる。文明国として、この件につき注意しなければならない。

以上のように、貴裁判所におかれましては、訴訟声明のような判決を賜るよう願うもので

ある。（翻訳：南国春秋法律事務所）

裁判官は公判のさいごに、法的な確認作業を終え原告の青山惠昭に陳述を求め、青山は次の通り発言した（要約）。

事件から四六年経った一九九三年、家庭裁判所に父青山惠先の失踪宣言を申立て、一九九四年審判が確定しました。その時の母美江は八一歳、戸籍上の父は八五歳、二人は法的にはこの年齢まで夫婦として生存していたことになります。

二〇〇七年二月二八日、幼い時の引揚げ後、初めて台湾へ渡り二・二八事件六〇周年記念中央追悼式典に参加しました。事件の実相と経過等を見聞する中で、あらためて父と全ての犠牲者の無念を晴らし真実を求めて行く決意をするに至りました。

基隆市和平島の海岸で石ころを拾い沖縄へ持ち帰り、母の手によって小さな「骨壺」に納められました。母はそれから三年後の二〇一〇年、数え九七歳の風車（かじまやー）長寿祝いを終えて大往生しました。存命中に認定と真相解明を達成できなかったことは、息子として申し訳なく思い、なんとしても解決しようとあらためて心に刻みました。

あれから、かつては監獄島といわれた緑島や旧景美看守所を訪ねたり、生まれ故郷の旧社寮島に行って島中の筋道を歩き回り、島のお年寄りと語り合ったりしています。

社寮島外萬善堂という廟では、二・二八事件犠牲者の遺骨を納めたといわれる納骨堂があって、もしや、父がその中にいるのではないかと思っています。今、ＤＮＡ鑑定をお願いすべく自らの検体を準備しようと考えています。
私の父は外国人犠牲者として初めて認定賠償を請求しましたが、却下されてやむなく裁判をすることになりました。貴院の判断は、国際的な関心を呼ぶことでしょう。人権と正義、人間一人の命は地球より重いといわれます。重ね重ね、誠のお応えを示されますようお願いを申し上げます。

第一回公判を終えて、弁護団は「二二八事件処理及び賠償条例の件について」と題する訴状の「補充理由状」を提出した。「被告（二二八基金会）は内政部の干渉と介入を受けずに独自に判断すべきである」と述べ、文書末尾で次の様に締めている。

『国際人権規約』の人権公約はすでに国内法にされたため、行政機関と裁判所は自国の法律を適用したり、解釈したりする時、その公約の旨に従うべきである。そのもとで、内政部は公約の定めた「平等な補償」という旨を顧みることなく、本案の受難者親族を差別し、親族の賠償権を侵害した。そのような行為は、違法の程度をより高めただろう。
述べたことをまとめると、法律に従い、受難者親族である原告に賠償金を給付することについて被告はもともと認定したが、内政部に特定の政治的な立場から介入され、干渉されたために、被告はその違法した解釈に従い、独自に本条例を適用せず、原告の請求を却下した誤りを犯した。以上の行為はもちろん違法した不当の行為であり、さらに無辜の受難親族に厳重な二次的障害を与えた。そのため、この訴状を作成し、貴院の査定をお願いし、起訴声明の通り判決をくださり、普遍的な人権を守るようお願い申し上げる。

（翻訳：南国春秋法律事務所）

## 第二回公判

第二回公判は二〇一六年一月一九日に行なわれた。本格的な論戦になると思われたが、内政部の公文書隠蔽の事実が判明し思わぬ展開となった。原告側の一方的な攻勢で被告側は弁明に追われるばかりであった。

その模様は、台湾弁護士会季刊誌『在野法潮』（二〇一六年四月一五日発行）に掲載されている。

基金会の審査過程において（当局）内政部による干渉が絶えなかった。基金会は青山さんの申請を受理、審査の中で二二八事件受難者である事実が明確に確認され、認定賠償を成立させていた。理事会の中では当局代表もいる、内政部は最初から最後までずっと反対の意見

『在野法潮』表紙と本文（筆者撮影）

を唱えていた。

被告代理人の基金会廖繼斌執行長は、裁判官の質問に対して、基金会を管理する機関ということを尊重するためにやむなく青山さんの賠償申請を却下したと、反対の理由を弁解じみたこじつけに終始したため裁判官に責められる一幕もあった。

薛欽峰主任弁護士は「特別法である二二八条例の位階は、一般法である国家賠償法より高いため優先的に適用されるべきだ。内政部は誤った法律の見解に依拠し、基金会の運営の独立性を干渉する行為は極めて不適切である」と攻めた。

薛弁護士らは日本人が台湾で交通事故に遭って台湾の国家賠償を受けた判例を見つけた。しかし内政部はそれを認めなかった。一方、法務部は内政部に公文を送り、台湾の国家賠償法は日本国民に適用できると指示していたが、その公文を隠していた。

基金会は内政部の公文隠蔽に対して遺憾の意を示したが、内政部が基金会の監督法人だったため、にっちもさっちもいかない状態に陥ってしまった。

今度の「湾生」求償案において、政府は基金会の運営の独立権に干渉し公文を隠蔽した。政府が率先して違反して悪い手本となった。
　惠先さんが二・二八事件の受難者であることは、もはや調査を経て基金において確認されたものであり、論争の余地は既になくなった。
　人権侵害を受けた場合は、国籍を問わず、全ての個人は有効な救済措置を受ける権利を有する。被害者遺族の賠償金を求める権利は「市民的及び政治的権利に関する国際規約」に確認された権利である。

（翻訳：姚逸葦）

　第二回公判が行なわれた三日前の二〇一六年一月一六日は、台湾総統選挙の投開票日。民進党の蔡英文氏が圧勝するという八年ぶりの政権交代となった。当時の私のブログにはこう記してある。「一八日の朝刊には行政院長の毛治國氏は早くも内閣総辞職を表明している。五月二〇日まで四か月間も権力を担う馬英九総統はどうするか。蔡英文氏は大陸とどう向き合って行くのか、五議席を獲得して初登場の第三勢力といわれる『時代力量』の動向は、目が離せない状況が続く。そして、二二八認定賠償裁判で青山不服申立てを却下した毛治國行政院長は辞意を表明したが来る二月一七日の第三回公判、司法判断にどう影響するのだろうか」

# 第八章　逆転勝訴

## 台北高等行政法院

二〇一六年二月一七日、晴れ。朝八時台北市士林の台北高等行政法院へ。台北駅近くのホテルからタクシーに乗り二〇分ぐらいで到着。四度目の法院になる。新築らしく高級ホテルかと見まがうほどのモダンな建造物である。

広い構内は司法関係の施設が立ち並び、通路や駐車場、植樹などは今も工事中。表玄関はまだ開いてなく暫くは構内を散策。午前九時、司法の象徴である「天秤」が描かれたガラスの扉が開く。左側の螺旋階段から二階へ上り第六法廷前で待機、数分後に劉又禎弁護士が現れ挨拶をかわし、しっかり握手。この間、顔見知りになったマスコミ関係者も続々駆けつけ挨拶代わりにあれこれ話しかけて来る。きょうは最終法廷。口頭弁論はひと月前の一月一九日の第二回公判で終えているので判決を受けるだけであった。

台北高等行政法院［裁判所］（筆者撮影）

この日出廷した代理人弁護士は劉弁護士一人。原告の私と代理人弁護士のさいごの確認は「敗訴即上訴」である。若き女性弁護士の劉弁護士は笑顔で冷静沈着である。穏やかな表情の中にどのような判決が下されようと原告との約束事を果たすという決意をにじませている。原告としては、一縷の勝訴を願いつつも九分九厘勝訴はないものと考え敗訴を身構えていた。

「外国人適用」については、弁護士や法学者が国際的な人権意識から言及し、代理人弁護士が徹底的に論破して当局と二二八基金会の主張は破綻していたので問題はなかった。しかし、「平等互恵の原則」を持ち出した台湾籍元慰安婦と台湾籍旧日本兵の戦後補償については、日本政府の理不尽な対応を理由に、これを逆手にとって「国家間で既に決着はついている」として重くのしかかっている。

構内を散策中も、「たとえ国家補償がそうであっても個人補償・請求権は否定されてない。『個人の尊厳』は国際的な流れとして高々と謳われているのではないか」等々自問自答を繰り返す。記憶にそう遠くはない二〇数年前、台湾の元慰安婦や旧日本兵たちは、日本の支援者にも支えられて東京で活発な賠償請求活動を展開、人権と正義、戦後補償を求めて訴訟を起こした。対して、日本の司法当局・最高裁判所はかたくなに認めようとせず、彼ら彼女たちの〝命の叫び〟は退けられ敗訴が確定した。

このように日本の人権に関する国際的な対応は、三権分立はあるのかと思うほど司法の行政追従ぶりが目立つ。日本と台湾の間では極めて大きな隔たりが横たわり、台湾の司法が、台湾の行政による日本人に対する〝歪んだ措置〟を覆すということは考え難いことであった。

判決

午前一〇時五分開廷。従来の原告席ではなく傍聴席の最前列真ん中で劉弁護士と二人で立ち並び、ひな壇の裁判官席と真正面から向き合った。しばらくして裁判長とふたりの裁判官が入廷着席、間をおかず裁判長が判決の口火を切った。

原告は行政院の下した訴願に関する決定に不服申立てを行ない、行政訴訟を起こした。本院の判決は以下の通りである。

主　文

訴願の却下決定及び元の却下処分を取り消す。

二〇一三年八月二日の賠償金申請の事件について、被告は原告に六〇〇〇万台湾元を支払いなさい。

「青山さん、勝ちましたよ」劉弁護士が言った。

一瞬、まさかと耳を疑った。

思わず目頭が熱くなり涙が頬を伝わった。

劉弁護士も笑顔で目頭に手を触れながら「よかった、よかった」と握手をしてくれた。

傍聴席の驚きのざわめきで気配を察し、来場の弁護士や現地支援者たちから全面勝訴といわれ、あゝ、そうなのだと自らに言い聞かせ段々と気が晴れていった。

裁判長は「主文」に続き「事実及び理由」について朗々とのべた。

平たくいえば、「被告の二二八基金会理事会は、自ら認定賠償請求の成立を決議したにも拘らず当局・内政部の介入を許して却下処分した。原告は行政院長に不服申立てを行なったが再び却下の決定を申し渡した。裁判所はその処分と決定を取り消し賠償するよう命ずる」という判決である。

基金会理事会が控訴するかどうかの判断が問われることになるが、弁護団はじめ関係者の見通しは、「法的にも政治倫理の上でも完膚なきまで論破され裁判官に諭される始末だ。昨今の政治情勢を加味すると被告側は控訴を断念する公算が大きいのではないか」ということであった。

## 記者会見

記者会見は昼二時から場所を移して立法院（国会）の会議室で行なわれた。会見場は既に立錐の余地もなくスタンバイの状態。日本の現地支局も含めて新聞テレビ各社がカメラを林立させ、ひな壇のバックに「勝訴！転型正義」と大書された横幕が掛けられていた。

テーブルには真ん中に原告、傍らには弁護団を代表して薛欽峰主任弁護士、国際法学者の李明峻氏、中央研究院法学者の廖福特氏、人権協会執行委員の陳俊宏氏らが列席。はじめに代理人の薛欽峰弁護士から公判における弁論の攻防などの経過報告がなされ、李明峻氏は「国際的にも注目される画期的歴史的判決だ」と述べ、廖福特氏は「台湾は過去の過ちに向き合うことができた。日本もできるはずだ」と語った。そして、私は用意した原稿に目を遣りながら次のように述べた。

まずは、一〇日前の二月六日に起きた台湾南部大地震において犠牲になられた一一六人の方々のご冥福をお祈りしご遺族の皆様に心からの哀悼の意を表します。

本日、父青山恵先の二・二八事件認定賠償を請求する裁判において、私の訴えを認める審判をいただき晴れて勝訴することが出来ました。まさに人権と正義を謳ったまっとうな判決であると思います。

代理人弁護士の皆様、国際的な法学の上から支えていただきました台湾の先生方、沖縄において陰に陽にあたたかい支援をいただいてきました先生方、友人、親戚、全ての支援者の皆様、心から御礼を申し上げます。誠にありがとうございました。

六九年間にわたって台湾の天空をさまよいつづけてきた父の喜びはいかばかりでしょう。六年前に天国へ行った母も一緒に喜んでいることでしょう。

さて、財団法人二二八事件記念基金会はいったん認定賠償を決めていたことと、現在の台湾社会は人権と尊厳の課題を高い知見で貫いて行くだろうという想いもあり、判決の結果は当然のこととして受け止めています。しかし、勝訴するとは思いませんでした。台湾籍元慰安婦と台湾籍旧日本兵の戦後補償の問題という大きな懸念がありました。そこで負の連鎖をのり越えたことは素晴らしいと思います。日本へ帰りましたらそのことを伝えたいと思います。

私は湾生とよばれる台湾生まれです。事件の時は三歳でしたので記憶はほとんどありません。しかし今、生まれ故郷の基隆市社寮島（現和平島）へ行きますと何とも言えない気持ちになります。明日は島の社寮島外萬善堂という廟へ行って、裁判勝訴を報告したいと思います。

そして、父が事件に遭遇し失踪させられた場所もこの社寮島です。ＤＮＡ鑑定の検体は既に預けてありますが、なるべく早めに和平島周辺で発掘された遺骨の検査照合を切望するものです。

来る二月二八日の「二・二八事件六九周年追悼中央式典」には、沖縄から複数の犠牲者家族や支援者が「台湾、追悼と交流の旅」として参加します。この判決を受けて台湾と沖縄の友好親善のさらなる節目になることを期待しています。

さいごに、当局と基金会は今日の判決を真摯に受け止め、控訴はしないと明言することを求めます。外国人に対する初めての審判がこのように典型的な判決であったということを、後世に耐え得る決断をしていただきたいと思います。

原告代理人主任の薛欽峰弁護士は記者の質問に応えて、「台湾司法当局の人権と正義の画期的判決である。今後の人権問題の裁判に大きな影響を与えるだろう。被告の二二八基金会理事会は控訴しないと決断すべきだ」と司法の判断を称賛し、当局と基金会には控訴断念を要求した。

原告に対する記者団からの最後の質問は「基金会が控訴するならばどうするか」であったが、

当然のこと「受けて立ちます」と、決意を述べた。

## 反響

記者会見を終え、南国春秋法律事務所の弁護士や諸先生にあらためて御礼の挨拶をしてこの場はひとまず退席した。宿泊するホテルに帰り沖縄へ電話。まずは連れ合いの憙佐子と又吉盛清教授、そしてお世話をいただいた方々へ。

反応は、「えっまさか」「ほんと、当然だ」等々、驚きと喜び、納得の声であった。

台湾の研究者や支援者、そして台湾在住の日本人友人から「おめでとう良かった、良かった、今テレビニュースを見ている」等々の電話が殺到。テレビをつけると、ニュース番組で記者会見を放映中、勝訴の書面を持った原告と弁護士の先生方、父惠先の遺影写真をアップした映像などが映し出された。「二二八日籍受難遺族、首位外籍遺族獲賠」、「台籍慰安婦未獲日平等對」等々の繁体字テロップが流れ、かつての琉球人集落があった基隆市和平島（基隆社寮島）の映像が現れ、亡き母の顔写真や妻・子・婿・孫の家族写真が出てくる。沖縄でもニュースを見たという支援者や知人、友人、そして東京や大阪の友人、関係者からもつづいた。

勝訴判決という高揚した気持ちが段々と収まり落ち着いてきた。ベッドに仰向けになって天井に目を向けると、「二・二八事件、外国人犠牲者初の日本人賠償判決」ということを、台湾の人たちはどう捉えているのだろうかという〝ひっかかり〟が脳裏を駆けめぐった。

一九八七年の戒厳令解除から五年後の一九九二年、当局発表の犠牲者数は一万八〇〇〇人から二万八〇〇〇人ということである。しかし今、死亡及び失踪者認定賠償は九〇〇人足らず、他の被害者二〇〇〇人余、という数字。これは何を物語っているのだろうか。あまりにも少なすぎるのではないか。なぜだろう。

その理由を、民進党陳水扁総統時代の二〇〇七年当時、二二八基金会執行長だった楊振隆氏は「遺族は、身内が犯罪者にされた恥ずかしさや恐怖で病死として処理するなど、被害者と断定する証拠がない」と述べ、台湾社会の認識は風化の波に晒され、人々の想いは希薄になってきたという（『読売新聞』二〇〇七年二月二七日）。

青山裁判勝訴に関するマスコミ各社の報道対応については、あらためて弁護士事務所に問い合せ確認をするつもりでいたが、なかなか待ちきれるものではない。判決の翌朝早く、台湾の新聞を求めてホテル隣のコンビニへ駆け込んで購入。中国語は判読できないが、解読可能な繁体字の字面を拾い、つなぎ合わせ、勝手に解釈しながら紙面をめくった。

台湾を代表する三紙は「日本人勝訴」の記事を二面トップ全面で大々的に扱っている。自由時報は、タイトルは左右全幅に「二二八受難求償、首位外籍遺族獲賠」と配し、原告と弁護団の記者会見を写真掲載、「對人権和正義的劃時代判決」として人権・轉型正義の見解を前面に押し出し、慰安婦問題も避けてはならないとしている。

裁判闘争を支えた弁護団と法学者の皆さん。右から、陳俊宏（弁護士）、李明峻（法学者）、青山、薛欽峰（主任弁護士）、廖福特（法学者）、劉又禎（弁護士）、陳緯誠（弁護士）。立法院ロビーで（南国春秋法律事務所提供）

中国時報は記者会見の写真を載せ、「首例！二二八日籍受難遺族　獲賠六〇〇萬」、「否認強徴慰安婦、日應誠實面對」と書き、勝訴会見の場面とかつての東京における台湾籍元慰安婦裁判敗訴の写真を同列に配し、「以徳報怨」という蒋介石の言葉を引用して元慰安婦・旧日本兵に対する日本政府の対応を批判している。

台湾慰安婦記念館「阿媽（アマ）の家―平和と女性人権館」の康淑華執行長（当時）は中国時報のインタビューに次のように応えている。

「判決は日本人の青山氏に対する人道と人権を尊重したものとして評価します。犠牲者が苦しく痛い過去を持っていましたが、台湾の裁判所は国籍を問わず金銭にとどまらず精神的にも心から助けたと思います。日本政府はかつて台湾慰安婦に対して敗訴の判決をしました。再び最近、台湾は日本に対して元慰安婦の名誉と尊厳を回復し賠償するよう求めましたが、未だに返事を貰っていません」

聯合報紙は次のように報じた。

「五月までの任期を持している馬英九総統は、一週間後の慰安婦記念館除幕式で、『台湾の慰安婦は当時、日本国民だった。日本はなぜ自国民に善意を見せないのか』と日本を批判した」

## 雨の基隆へ

判決から一夜明けた二月一八日朝、晴れ。台北駅から基隆へ電車で向かう。気のせいか車窓の風景は清々しくいつもより映えて見える。基隆河に沿って三〇分余。しばらくして八堵駅を過ぎ、トンネルを抜けると雑然とした基隆の街並みに滑り込み、基隆港が広がって来た。目前に迫ってくる港景は六九年前〝殺戮の海〟と化した場所だ。あらためて過ぎ去った歴史の重さを考える。

「基隆雨港」と言われるほど雨の多い今日の基隆はこの日、曇り空。でも何とか晴れ間が見えている。駅を降り埠頭広場のバス停に歩いて行くとやはり「この人」の前を通る。蔣介石の銅像である。駅前のロータリーの真ん中に南洋杉に囲まれて銅像が直立不動、雨の多い基隆ということで雨合羽マントの装いである。判決の翌日だけに、いつもより神妙な気持ちになってくる。昨日まで、法廷被告席の後方奥深いところに陣取っていた姿である。一言「駁回（却下）を覆した

花
よ」とつぶやいた（蒋介石像は二〇二一年三月撤去された）。

　バス停へ向かう通りすがりの花屋で白い菊の花を三束購入、台北で開催された追悼式典の献花はテッポウユリであるが、基隆で例年行われる「三・八追悼式」は白菊なのでそれに倣った。

　基隆港埠頭ひろば前のバス停。和平島行きのバスが来てお年寄りが数名列をなして乗車。そこから六番目のバス停の基隆市役所前でほぼ満席になった。

　吊り輪をつかんで立つ年配の男性が菊花の香りに誘われて笑顔で花を指さして、「讃！（いいね！）」といった。

　ありがとう、と返すと、八〇代後半と思われる老婦人が割って入り、流ちょうな日本語で話しかけてきた。


　花をもってどこへ行くの。

　——和平島の萬善堂へ行ってお供えします。

　なぜお供えするの。

　——亡くなった人々へです。

　家族なの、と聞くので、昔ここに琉球人集落があったこと、私はここで生まれたこと、萬善堂には納骨堂もあってどこの誰かも分からない人たちが眠っています……そんなことを話すと、老婦人はその場で通訳してくれたので、ほかの乗客も私の話に聞き入り、なかには握手を求める人もいる。

父のことは話さずじまいだったが、バス停の度に乗客の乗り降りにかき消されて、話はとぎれてしまい、老婦人も名残惜しそうに下車すると、手を振って去ってしまった。

## 和平島で一緒に歌ったカラオケ

バスはやがて和平橋にさしかかった。八尺門魚市場を右手に見ながら歩道もない狭い窮屈そうな路地を、縫うように入って行く。ほとんどの乗客が降り三人になり、ほどなく最終折返し地点の和平島公園バス停にたどり着いた。運転手が萬善堂の方向を指さしてくれ、バス賃一五元（約五〇円）を払い、お互い会釈をしながらそれぞれの方向へ散って行った。

長さ一五mもある立派な屋根付きのバス停から、基隆長老教会の大きな看板を横にして東北へ一五〇mぐらい歩いて行くと和平島の海浜公園へ抜ける。

ゲートを通り過ぎると、その先に緑に覆われた小高い場所に赤いトタン屋根の社寮島外萬善堂が見えて来た。

廟を見ると、なんと四、五人がこちらを向いて手を振っている。あれ、連絡もしてないのにと思いながら、急に足どりが軽くなってきた。

ほとんど毎日この場所にいる島のお年寄りたちで、数年前から親しくしている。林近枝ばあさんは八六歳、幼いころからこのあたりに住んでいて日本語も訥弁ながら話せる。かつての琉球人集落のことをよく覚えている。

会うやいなや「サイバン勝った、テレビ見たね、きょうここへ来ると思ったよ」といい、持って来た菊の花を活けてくれた。

二つ下の弟の林阿財さんは、沖縄から持って来た泡盛と黒砂糖を祭壇に並べてくれた。日本語はあまり話せないが「メデタイ、メデタイ」と言って細長いご当地線香に火を点けてくれた。

媽祖などの神々が鎮座する道教の廟は、島の鎮守の杜として納骨堂も併設されている。基隆市役所から地元の老人会が委託を受けて管理し、日常的にお年寄りが集う老人福祉交流センターみたいな複合施設で、カラオケ機材も置かれ、「萬善公さん」といわれて親しまれている。

合掌して一息つくと、林ばあさんがいきなり「カラオケを一緒にうたおう」とおっしゃる。驚いた表情をすると「お父さんの前で」と付け加え、歌は日本の歌謡曲「骨まで愛して」のデュエットだという。日本語のカラオケは、彼女にとっては昔の日本語を思い起こしてくれる勉強らしい。彼女からすれば、納骨堂前でこの歌を歌うことは、勝訴判決が下された受難者青山恵先への祝福と鎮魂の歌であった。

林ばあさんからマイクを向けられ、何か歌いなさいといわれ、考えあぐねた上、むかし学生時代によく歌った「しゃれこうべの歌」を、覚えているだけ歌った。

雨にうたれ　風にさらされて
空の果てを　睨んでいた
しゃれこうべが　ラララ　いうことにゃ
おふくろにも　会わずに　死んだ

（イタリア映画「越境者」主題歌　シチリア民謡　東大音感合唱団・土井昌造訳）

父・惠先は、島入口の和平橋傍にある八尺門漁港あたりの船寮（造船鉄工所）で襲われて、この地に連行され処刑されたと推測されている。二二八事件基隆市遺族会顧問の周振才先生（医師）によると、二〇〇九年ごろ、周辺海岸の海中水泳プール掘削工事現場からおびただしい人体遺骨が見つかり二・二八事件関係の遺骨であろうとされ、廟の洞窟を納骨堂にして収容したという。林阿財さんは、「若いころ潜ったこのあたりの海の底には人間の骨らしいモノがよくあった。今も残っている」と回想している。

基隆市全体の二・二八事件関係の発掘遺骨の大半を収容した場所は、基隆市街地の山間にある「南栄公墓」とのこと。和平島の萬善堂納骨堂は島周辺に限った納骨堂ということである。皆さんにはさしあたりのお礼を述べ、一〇日後の二月二八日、台北市で「二二八事件六九周年記念追悼中央式典」が開催される。そのときにまた来ることを約束してお別れした。

判決翌日の一八日にいったん沖縄へ帰り、二七日に式典参加の皆さんと再び台湾へ渡ることになった。台湾から沖縄にもどり帰宅すると、先輩や友人、親戚等々からも電報、ＦＡＸがいくつか届いていた。

「おめでとうよかったね。天国のお母さんもきっと喜んでいることでしょう」

「勝訴おめでとう。台湾の人権意識の高さに驚きと感謝の念に満たされます、やっとお父様の無念を晴らすことができましたね」

「台湾政府に補償判決、誠におめでとう。判決は日本政府のアジアの国々への誠実な戦後補償を促すもの、これからも日本とアジアの架け橋として活躍を」

県内紙に目を通す。判決当日、連れ合いから送られてきたメールで一部見ていたが、やはり実紙を目のあたりにするとあらためて感慨を覚える。両紙とも一面トップ見出しで「台湾二・二八事件、県人遺族勝訴、政府に賠償命令」「二・二八事件、台湾政府に補償命令」と打ち、他面に関連記事を載せている。申請から提訴に至る経緯と法廷で争われた外国人適用と日本政府の慰安婦補償問題を簡潔に取り上げている。翌日一九日は両紙とも社説で取り上げた。

「高い人権意識に基づく判決だ。画期的なのは国際人権規約を踏まえ賠償を認めたこと、国際的にも評価されよう。日本は不幸な歴史と向き合うことでアジア各国と信頼関係を醸成しなければならない。その為にも今回の判決から学ぶべきだ」(『琉球新報』)

# 2・28事件 県人遺族勝訴

## 台湾の裁判所 政府に賠償命令

中国から台湾に移った国民党政権が、多数の住民らを虐殺した1947年の「2・28事件」で、漁師だった父を失った浦添市の青山惠昭さん(72)が、台湾政府に損害賠償を求めた訴訟の判決で、台北高等行政法院（裁判所）は17日、政府側に600万台湾元（約2千万円）の支払いを命じた。政府側は上訴するか検討中だが、支払いが決まれば同事件で外国人が補償を受ける初めてのケースとなる。

（31面に関連）

同事件は、国民党の専制支配や台湾人差別が原因で起こった住民と政府の衝突で、2万人以上の死者が出たとされる。

国民党独裁政権下で長くタブー視されてきたが、政府は民主化の進展に伴い90年代以降、真相究明や補償を進めている。

青山さんは2013年に台湾政府の委託を受けた基金会に父への賠償を申請。事件で失踪したことは認められたが、政府は「慰安婦」など戦争中の台湾人に対する賠償請求に日本政府が応じていないことなどを理由

判決後、関係者と会見する青山惠昭さん（左から3人目）＝17日、台北市内（劉又禎さん提供）

2016年2月18日『沖縄タイムス』1面トップ（沖縄タイムス社提供）

「画期的判決だ、今回の司法判断は選挙による政権交代が当たり前になるなど民主化が進み、経済的にも豊かになった台湾社会の成熟の現れともみることができる。戦後処理のあり方などで日本政府にとっても参考となる判決だ」（『沖縄タイムス』）

二〇年前から台湾二二八事件沖縄調査委員会を立ち上げ、調査と解明、認定賠償実現へ向け一貫して原告を支え取り組んで来た又吉盛清沖縄大学客員教授は、県内紙のインタビューに応えて述べている。

「台湾の裁判所は政治的理由を退けた。人権意識の高さを示した画期的判決だ。日本政府は台湾籍慰安婦や台湾籍日本兵など、戦後補償の対応が求められることになるだろう。また東アジアの人権問題解決の突破口と位置づけられる。日本政府は判決を受

け止め戦後処理をすすめてほしい」

宮古毎日、宮古新報、八重山毎日、八重山新報は、時事と共同の配信記事で大きく写真入りで報じている。全国紙の毎日新聞は、判決当日の西部版夕刊で六段カラー写真入り掲載、三月九日は国際面で一頁ほぼ全面特集、「台湾住民弾圧『二・二八事件』六九年、傷痕今も」と題して、事件のあらましから判決までの経過を載せ、追悼式から基隆和平島までの沖縄から来た犠牲者家族に同行取材、未申請の沖縄犠牲者家族にも言及している。

西日本新聞は判決翌日に続いて、三月一三日の国際面で八段タテ半面の大きさで特集「二・二八事件、邦人遺族区切り、台湾の裁判所初の賠償確定」として犠牲者の出自から事件遭遇、勝訴判決、基金会上訴断念を報じている。

判決翌日の二月一八日。朝日、読売、産経は三～五段で比較的大きく報じ、日経は共同配信。東京新聞など全国の地方紙は共同と時事の配信であった。テレビ、ラジオは、沖縄各局が判決当夜のニュースで、全国的にもテレビ朝日等々で放映された。

## 控訴無し

慌ただしいまま二月二七日、沖縄から関係者とともに再び台湾へ旅立った。翌二月二八日の「二二八事件六九周年記念追悼中央式典」は、二二八国家記念館の建造物に囲まれた狭い中庭で

追悼式典で挨拶する基金会陳士魁理事長（財団法人二二八事件紀念基金会提供）

開催された。追悼式典は、これまで八度参加してきたが、厳しい入場チェックはあるものの、従来は台北二二八和平公園など比較的公開された明るく広い場所で開催されてきた。今年はどうしてこの場所にしたのだろう。

沖縄からの「二〇一六年台湾追悼と交流の旅」は遺家族と支援者など二〇人余が参加、青山恵先の遺族は、私と連れ合いの憙佐子、孫安座間奈緒と曾孫安座間徳の四人。認定賠償請求を準備中の仲嵩實遺族は長女徳田ハツ子と夫徳田金一と孫當間ちえみの三人、石底加禰遺族は三女具志堅美智恵が参加。他に、又吉盛清教授をはじめ、支援者、研究者等々一〇数名が参列した。大長元忠遺族は参加できなかった。

式典四日前の二月二四日、財団法人二二八事件記念基金会理事会は「上訴断念」を議決していた。理事定数一五名のうち、上訴せず六名、上訴する二名、棄権三名、欠席三名、（議長は評決加わらず）の評決であった。数字は根強い抵抗があったことを示している。そして日本へのメッセージともいうべき異例の〝付帯決議〟が付け加えられていた。大方の予想通り控訴されず、ここに原告の全面勝訴が確定した。

追悼式開式の直前、被告人であった財団法人二二八事件記念基金会の陳士魁理事長と行政院文化部（政府文科省）蔡炳坤政務次官の二氏が中央一〇列目あたりに座していた原告の私の席へ通訳を伴って駆け寄り話しかけて来た。

「長い間お待たせしました。お詫びを申し上げ賠償金をお支払い致します」

控訴断念を決め、謝罪と賠償を公式に表明したのであった。そして、開式直後に登壇した陳士魁理事長は、控訴断念に触れ結びに〝付帯決議〟をこう語った。

「台籍慰安婦と台籍旧日本兵の戦後補償のこと。人権に国境はなく、平等互恵の原則により日本政府は不平等な補償を考え直して欲しい、青山さん、日本へ帰ったら伝えてください」

続いて馬英九総統が登壇。この一年間の認定賠償成果報告と受難者名誉回復の儀式を行い、一般的な政治情勢について縷々述べたが「外国人初の賠償請求成立」については触れず陳理事長の談話に委ねたかたちとなった。

式典終了直後、基金会の廖繼斌執行長から基金会執務室に招かれ「賠償金支払通知書（領款通知書）」を渡され、あらためて勝訴確定を確認した。二〇一三年八月、二二八基金会に出向いて認定賠償申請書を正式に提出した時から節々に何度も接触した執行長の私とのさいごの場面であった。法廷では終始当局基金会の被告代理人を務め、一〇日前の記者会見場でも居合わせていた人物だ。この日も感慨深そうで笑顔で目が潤んでいた。

これで青山恵先認定賠償成立の法的、実務的な段取りと手続きが全て完了した。

## 父の最期が知りたい

父・青山恵先が台湾二・二八事件における犠牲者としての認定賠償が成立したことは、犠牲者家族として当然のことではあるが、やはり望外の喜びであり、台湾の行政と司法当局には心から感謝に堪えない。だが、肝心なことを忘れてはないかと気がかりなことがある。

記者会見でDNA鑑定については述べたが、月日が経つにつれて落ち着いてくると一つひとつの想いが頭を駆けめぐる。——父の最期のことである。なぜ捕らわれたのか、遺骨はどこにあるのか、事件遭遇から死に至るまでの経緯、国府軍にある犯行実態については解明されず、放置されたままなのである。

当局は「移行期正義」の立場から既に対策を講じていると思われるが、この事例は犠牲者一人に限られたことではなく、今後、全容解明に連動する重要課題として論議され実行されなければならない。

そのことに客観的に触れた高誠晩氏（韓国国立済州大学助教授、京都大学文学博士）の著作『〈犠牲〉のポリティクス　済州４・３事件／沖縄／台湾２・28　歴史清算をめぐる苦悩』の論考から顧みたい。（文中Ｙ―１は青山惠昭のこと）

今回の「受難者」の審議においては、台湾側の審議の資料、例えば、虐殺の指揮系統や直接的な命令者、そしてそれに関する資料をはじめ、拉致・連行・殺害が発生した日時および場所、遺体の行方などについては、まったく新しい事実が明らかにされていなかった。Ｙ―１が、目撃者からの証言にもとづいて、「申請者」に「（父親が）基隆の漁港埠頭で軍隊に拉致・連行されたと思われる」と記述したが、実際の「受難者」の審議においては、戦後Ｙが基隆に居住していた戸籍を「基隆市政府」から入手したこと以外に、２・28基金会を含む台湾当局が明らかにした事実はなにも無かった。つまり、厳密にいえば、Ｙ―１が父親の「行方不明の状況」を証明するために提出した資料の事実関係が認められただけで、人命被害にかかわる具体的な真相究明という側面においては、目立った進展が得られなかったといえよう。台湾政府が日本国籍者の遺族に賠償金を支払うことを通して、積極的な「過去清算」への意思を国内外に示したが、身内が行方不明になってから長い間、遺族が抱いていたごく基本的な疑問は、依然として未解決のまま残されているのである。（二〇七頁）

## 萬善堂廟

式典終了後、沖縄から来た二〇名余と、台北で合流した知人、関係者の五名が加わって一路基隆へ。基隆市役所前で待ち合わせていた基隆市在住の周振才先生と呂英世先生が同乗され、和平島海浜公園に到着。ゲートではマスコミ関係スタッフが待機、市政府管理事務所スタッフの案内で園内海岸域の萬善堂廟へ向かう。

大陸や香港、東南アジアらしい外国人観光客も多く、近くの九份から降りて来たという日本人もいる。五〇mほど先の萬善堂の方向から突然、パッパッ、パンパンという炸裂音が響き、天空には白い噴煙が舞い上がっている。お迎えの爆竹である。沖縄の一同、一瞬驚き、手を振って応える。

堂内に上がって行くと、現地管理人の邵金國さんや林阿財さんたち五、六人が待機し迎えてくれた。しかしいつもの林近枝ばあさんは風邪をひいてしまったとのこと。沖縄の皆さんに紹介したかったが残念である。

しばらくして基隆市生活記憶保存協会の葉雨涵さんをはじめ青年たち七、八人がやって来た。このグループは、法廷で代理弁護人を務めた南国春秋法律事務所から紹介された、基隆市における、廃れ行く自然景観及び建造物、埋もれた歴史的事実等を掘り起こし未来につなげる青年たち

和平島社寮島外萬善堂で開催された沖縄関係犠牲者追悼会（2016年2月28日、高誠晩氏提供）

の調査研究グループである。

総勢四〇数名が集まった。祭壇には道教の数々の神々が祀られ、裏側には洞窟があって受難者の納骨堂にもなっている。沖縄の遺族からは持って来た泡盛や黒糖、サーターアンダギー等のお供え物を並べ四人の遺影を立てる。

沖縄犠牲者の追悼式がはじまった。まずは、徳田ハツ子さんが与那国島の哀愁を込めた鎮魂歌をささげる。参加者一人ひとりが祭壇へ向かいお線香を立て合掌をする。

又吉盛清氏が挨拶を述べ、私から経過報告、そして、基隆市の医師周振才氏から流暢な日本語でお話しをいただいた。

「青山さん良かったですね。私は父と伯父が受難し、基隆遺族会の世話役をしています。事件当時この辺は処刑場だったそうです。近い将来、沖縄の皆さんと一緒になってこの場所に

『基隆大虐殺資料館』をつくりたいですね」

引き続き東京に留学経験のある医師の呂英世氏も日本語で挨拶。

「青山さん勝訴おめでとう。差別はいけません、人間皆平等です、国は違っても犠牲者は犠牲者です。人権に国境はないというじゃありませんか」

青年を代表して保存協会の葉雨涵氏は時折スマホのメモを見ながら語った。

「こんなに悲しいことなのに、私たちは学校で二・二八事件のことを教わりませんでした。沖縄の人が受難したことも知りませんでした。悪いことは反省して将来に生かすべきです。歴史の真実を学び未来につなげて行きたいです」

萬善堂廟の皆さんを代表して管理人の邵金國さんが実直に話してくれた。

「このあたりを掃除したり見守ったりして毎日誰かがいます。琉球から大変ですね、ここに来るときは連絡ください、カラオケもありますよ。なんでも準備しますから……」

傍らに寄り添う邵さんの姪・黄湘儀さんは沖縄に来たとき、わざわざ邵さんからのお土産を届けに来たことがあり、旅行社で添乗員として働く日本語が達者な娘さんだ。

昔、琉球人集落があったころの絆が今も残っているのでは、と思うほどである。千畳敷といわれる海岸沿いから西側のなだらかな丘陵には、琉球弧の島々から渡って来たウミンチュたちの家々が立ち並んでいたところだ。六九年前、この地で残虐非道なことがあったとは到底考えられない、やさしい美しい情景が目の前に広がっている。心温まる和やかな追悼式であった。

## 基隆の青年たち

追悼式の参加者のほとんどが沖縄へ帰った後、私は台北にひとり残り、三日間滞在した。三月五日、再び基隆へ行き、和平島萬善堂でお世話になった「基隆記憶保存協会」の若者たちが主催するミニ講座に招かれた。

港埠頭広場近くの繁華街にある雰囲気のある喫茶店、急な階段を上がった三階の天井裏らしい古びた隠れ家的な部屋だ。この日は新たに「青年陣線」という青年会的なメンバーも数人加わり総勢一四、五人の賑やかな小集会になった。

若者たちのなかには、東京に何年もいたとか、沖縄に旅行したなどという人もいて、日本語が話せる人が数名いた。コーディネーターは通訳もできる男性の余炳松さん、集団的シンポジウムといった感じの集まりになった。

まずは先日萬善堂で挨拶していた会代表の葉雨涵さん、眼鏡をかけた聡明そうな端正な顔立ちの女性リーダーである。

簡単な紹介を受け、先日の和平島、かつての社寮島で生まれたこと、父の事件遭遇を経て失踪宣告、そして認定賠償請求を経て勝訴判決までのいきさつを四〇分ぐらい話し、さいごに未解決な沖縄の三人の犠牲者がいることなどを、ひと通り話した。あとはコーヒーとケーキを前にしてざっくばらんな質疑応答というかたちですすめられた。

「琉球人は社寮島で台湾人や原住民と仲良くやっていけたか。日本が負けて引揚げたときは、どうだった。失踪宣告はいつどこで誰がやったの。六〇歳を過ぎて初めて台湾に来たというが、それまで来なかったのはなぜか。日本や沖縄の青年たちは二・二八事件のことをどう思っているか。青山さんの勝訴判決は良かったと思うが、日本は台湾をいじめたといって不満を持つ人もいる……」

和平島の追悼式で葉さんが語っていた「二・二八事件のこと、学校では何も学ばなかった」ということを悔しがるように話す若者たち。彼らの真摯でまっとうなまなざしに、真実を求めてどん欲に迫ってくる姿に、台湾の未来が見えて来る。

私は、子や孫世代の若者たちに囲まれて、微妙な緊張感に包まれているというのに、段々と違和感がなくなり、心地よい不思議な空間に誘（いざな）われていった。

ほんとうの意味の〝親日〟とか〝親台〟というものは、このようにして生まれてくるような気がした。

## 和一路の呂ばあさん

基隆四泊目、三月八日は二つの約束があった。「社寮島船寮事件」の犠牲者家族訪問と基隆市主催の「基隆三・八追悼集会」参加である。

まず午前中は和平島行き。台北二二八記念館で親しくなった許仁碩さん（現・北海道大学助教）に案内されて、和平島に住む呂姿蓉（二〇二一年一月百歳で死去）さんに会うことであった。呂さんは弟が殺害された二・二八事件の犠牲者家族であり、許さんの曾祖母にあたる。許さんは台湾大学から北海道大学の博士課程に在籍し二・二八事件や白色テロをはじめとする国内外の人権問題を研究する若き学究者で、沖縄にも来て辺野古へ行ったこともあり、日本語も達者である。

朝九時過ぎ待ち合わせて、基隆市役所前。許さんは台北から祖母の陳蕭瑞雲さんと祖伯父の蕭金國さんの三人、自家用車でやって来た。かるく挨拶を交わし同乗させていただき、車内で陳さんと話していくと「沖縄は何度も行きました。お母さんコーラスの交流があります」とおっしゃり「沖縄の合唱団顧問格の新島ユキ先生をよく知っています。ずっと交流しています」とのこと。驚いたことに新島先生という人は、私の郷里の沖縄県国頭村の大先輩で若いころから懇意にしている方である。後日、同郷のイベント会場で新島さんに会いその話をすると、たいそう驚き、喜んでくれた。

和平橋を渡って島に入り商店街通りの左側の五番目、和一路通り添いの元店舗兼住宅が呂ばあさんの住まいだ。陳さんは呂さんのことを「最近おかしいところが増えて心配です」という。

呂ばあさんの前へ『基隆雨港二二八』という本を手に持って歩み寄った。この書の一七九頁に、呂ばあさんが六九歳のころ、二三年前のインタビューに応える顔写真があって弟の呂金土のことを詳しく述べている。二〇一一年発刊の張炎憲氏（当時、台湾国史館長）らの聞き取り採訪記録書である。

弟の呂金土は社寮島の（八尺門）船寮造船所で大工をしていた。ある日、突然国民党の軍隊が造船所を襲い作業員全員を外へ連れ出して殺された。その時弟は二二歳、我が家族ただ一人の男子でした。母は毎日毎日涙が止まらず目が見えなくなり、父は悲しくて悲しくて耳が聞こえなくなった。海の岩に浮いていた弟の死体には首に銃刀の切り傷があった。

この日の呂ばあさんは、台北から子とひ孫が何のために来たのかしっかり認識していた。私の父・惠先の写真入りのチラシを見せると、私の両手をしっかり握りしめ、共感と同情を露わにした。本の紙面を人さし指で叩きながらつぶやくように語った。

「私は親が外に出さず箱入り娘だったので、琉球人のことあまり分からないが、あんたのお父さんも弟と一緒に、八尺門で事件に遭ったんだね、可哀そうに……」

陳さんは、呂ばあさんのことを、日本語はもう忘れたようだというが、帰り際、呂ばあさんは私に向かって「元気でね」とはっきり発音し笑顔で手を振った。それからは二回ほど呂ばあさんを訪ね、親しくさせていただいた。その後、陳さんらと共に、近くの社寮島外萬善堂を訪れ、呂全土と青山惠先の眠るであろうこの地で線香をあげ手を合わせた。許さんは一年後、留学先の北海道から友人数人と沖縄に来て、台湾・沖縄・東アジア研究家の八尾祥平氏と組んで私を囲み「二二八事件ミニ講座」を開いてくれた。

## 基隆三・八追悼集会

当日の昼あと、「基隆市二二八紀念追悼會」が開催された。数か月前の基隆市長選挙で数十年ぶりに国民党馬英九政権下で野党系市長が誕生し、追悼式が数十年ぶりの市主催になったという。その日私は林右昌新市長から「招待」を受けて、二〇一四年以来二年ぶりの参加であった。親しくしている、台北市に一五年前から居住する沖縄出身のYさんも基隆まで来ていただき、追悼式会場では同席してくれた。Yさんは中国語も堪能なので通訳をしてくれて心強い。

基隆にとって忘れてはならない「三・八基隆大虐殺」の日として、前年までは市民団体が主催していた。追悼会は黙祷のあと市長の挨拶から始まり、私も、周振才先生の取り計らいで勝訴判決を受けた湾生として壇上から紹介していただいた。参加者の犠牲者家族という人や、日本語の出来る高齢の婦人など数人から話しかけられた。

「琉球人にも殺された人がいたなんて知らなかった。私の父親は昔、琉球人集落に行って茶とビーフンを売っていたそうで友だちもいたらしいよ」

「港で沖縄に引揚げを待っている琉球人が、中国兵の残飯を漁っていた。子どもにあげる食べ物がないといってかわいそうで持っていた干し魚をあげた」

集会場で現地の新聞「民報」とテレビ局から「沖縄の受難者湾生」ということでインタビューを受け、夕方のテレビニュースと翌朝の新聞で報道された。追悼集会のあと、白菊の花をかざして目抜き通りをデモ行進、基隆港の埠頭広場で海中に献花して終了した。

228
紀念
追悼會
INVITATION
謹訂於西元二〇一六年三月八日(星期二)
下午二時二十八分正，假本市文化廣場，舉行
「2016 基隆市二二八紀念追悼會」
敬請 蒞臨指導
市長 林右昌 敬邀
基隆市長から筆者に届けられた基隆市二二八紀念追悼會案内状

二月一七日の勝訴判決を受けて、二月二八日の追悼式典に参加、そして基隆におけるいくつかのイベントにも参加。濃密な慌ただしい三週間近くを過ごしてきた。明日からは沖縄での様々な日程が待っている。しっかりとした企画を立てて、お世話をいただいてきた人々へのご報告をしなければならない。

# 第九章　認定賠償を実現して

## シンポジウムin沖縄

認定賠償が確定した二か月後の二〇一六年四月二七日、浦添市で「シンポジウム台湾２２８事件in沖縄」が開催された。主催は「台湾二二八事件、真実を求める沖縄の会」。会場には犠牲者家族をはじめ、支援者や一般県民等々一三〇名余が参加、新聞・テレビ各社は大きく報道した。コーディネーターは沖縄大学客員教授又吉盛清氏、パネラーは、台湾現地で「青山裁判」を支援してきた国際法学者で台湾琉球協会執行長の李明峻氏（国際法学者）が駆けつけ、加えて京都大学大学院文学博士で東アジア研究者の済州島出身高誠晩氏（現・済州大学助教授）が京都から加わり、沖縄タイムス社編集委員の謝花直美氏が登壇した。

はじめに、私から、関係者、支援者はじめ県民に向けて感謝の言葉を述べ、父・青山恵先の認定賠償を実現した裁判勝訴に至るまでの経過を報告。コーディネーターの又吉氏は冒頭、「国に

右から高誠晩、謝花直美、李明俊のパネラー３氏（台湾二二八沖縄会提供）

よる個人補償を適用したことは画期的だ。戦後日本がきちんと賠償をしてない中で台湾は良識と良心を示した。今後、日本政府の対応が問われる」と述べ登壇諸氏の見解を促した。

李氏は「青山さんの判決で台湾は、国籍によって人権が差別されることに反対した。日本の政府、裁判官は考えが古いままだ」、謝花氏は「台湾はこれまで受け止められずにいた歴史を語る第一歩を踏み出した。慰安婦問題に対する大きな問いかけだ」、高氏は「青山さんが認定賠償されたことで、事件が台湾国内だけでなく東アジアの歴史になる。画期的な新たな展開だ」と語った。

県内の犠牲者家族のひとり大長元忠の次男の直利さんが東京から駆けつけ「父がどう事件に巻き込まれたか詳しくは分かってない。皆さんの協力を得て頑張りたい」と訴え、同じく犠牲者石底加禰の三女具志堅美智恵と仲嵩實長女の徳田ハツ子の両氏は「昨年一一月台湾へ行き、二・二八事件で犠牲になった父の認定賠償を求める申請書を、基金会理事長に直接手渡した。諦めずに頑張って行きたい」と決意を述べた。会場には、沖縄人権協会の永吉事務局長、台北駐日経済文化代表処那覇分処から蘇啓誠処長も出席された。

さいごは、高雄市生まれの湾生、「台湾二二八沖縄会」顧問の漢那昭氏が、「二・二八事件は国民党独裁政権下でタブーにされてきた。しかし台湾は今、人権に国境はなしということを世界に示しました。参加者の皆さん、さらに力を尽くそうではありませんか」と呼びかけた。

## 「70周年記念展」と「彷徨の海展」

二〇一七年二月台湾中部の嘉義市で「二二八事件70周年記念美術展」が開催され、筆者の絵画三点が招待出品された。

嘉義市といえば、北回帰線に位置し台湾随一の国際的観光地・阿里山への出発地点で、木工はじめ美術工芸の盛んな町である。また日本統治時代の一九三六（昭和一一）年、高校野球甲子園大会で準優勝した伝説の「ＫＡＮＯ」こと嘉義農林高校の地でもある。

二・二八事件との関わりでいえば、事件当地の激しい抗議活動の指導的立場にあって虐殺された国民的画家の陳澄波（東京芸術大学卒）の出身地で、その記念美術館もあり、台湾で初めて二・

二八記念碑が建てられた街である。

主催は嘉義市、後援は陳澄波記念館等々、出品者は戦後の台湾美術家たち約二〇人。美術展開催の中心的人物は、二〇一〇年台東緑島に私を案内してくれた画家で、台北教育大学美術教授の蘇振明画伯であった。展示作品は、陳澄波遺作をはじめ蘇振明等々、絵画と彫刻作品が主で、テーマは特になく具象から前衛作品までバラエティーに富んだ作品が多かった。

私は油彩F五〇号「祭」と「日雇い人夫」の二点、水彩F六号一点の「千畳敷海岸」の合わせて三点を出品した。

二月二八日台北で開催された「二二八事件70周年記念追悼中央式典」に沖縄から参加した中から、七人が翌日嘉義市を訪れた。一同は嘉義市政府文化局長の黄美賢女史から歓迎の宴に招かれ、蘇振明画伯と現地関係者を交えて和やかに交流、歓談の場を設けていただいた。企画展のために沖縄まで足を運んでくれた蘇振明画伯には感謝の言葉が見いだせない。

それから九か月後、はからずもこんどは沖縄で台湾の美術作品が展示される美術展が開催された。二〇一七年一一月、沖縄県立博物館・美術館は美術館開館10周年記念展「彷徨の海—旅する画家・南風原朝光と台湾・沖縄」である。

戦前戦後にわたり東京と沖縄で活躍した画家南風原朝光（那覇市出身）の台湾における活動から鳥瞰し、台湾の著名作家の招待もあわせ周辺の書家、画家、彫刻家たちを登場させた野心的でユニークな企画展であった。南風原作品は油彩画大小五六点。日本からは和田三造、藤島武二、梅原龍三郎、藤田嗣治等々の名だたる巨匠たち。台湾からは陳澄波の油彩五点をはじめ廖修平、黄光男など八名の国際的作家。沖縄から謝花雲石、山之口貘、名渡山愛順、宮城健盛、内間安瑆、高良憲義等々に加えて、「湾生」の喜久村徳男（嘉義市生まれ）、大浜英治（台中市生まれ）、青山恵昭であった。（詳細は『沖縄県立博物館・美術館 開館10周年記念展　彷徨の海　旅する画家・南風原朝光と台湾、沖縄』）

## 沖縄初の追悼式

二〇一七年四月八日、「台湾二二八沖縄会」主催で、「台湾2・28事件70周年記念 沖縄関係犠牲者追悼式」が那覇市内で開催され、遺家族、関係者、支援者一三〇人余が参加した。日本での開催は初めてとあって県内外から注目され、新聞・テレビでも大きく報道された。

祭壇には四人の犠牲者遺影が並び、はじめに参加者全員が犠牲者への黙祷を捧げ、沖縄を代表するオペラ歌手・兼嶋麗子氏が「えんどうの花」を歌唱、会場は厳かな雰囲気に包まれた。

翁長雄志沖縄県知事からメッセージが寄せられ、「事件から七〇年の歳月が過ぎ、今なお、その傷痕は癒えることなく、最愛の家族が犠牲になられ、哀悼の念は深まるばかりです」と代読された。

台北駐日経済文化代表処那覇分処の蘇啓誠処長が来場され紹介された。蘇氏はひと月前の県内

沖縄で初の2・28追悼式（台湾二二八沖縄会提供）

紙で「日本政府は慰安婦のいる国の補償要望になぜ踏み込まないだろうか。台湾も過去の過ちに向き合っている。日本にもできないはずはない」と述べている。（『沖縄タイムス』二〇一六年三月一七日）。

犠牲者青山惠先の生まれ故郷である与論島の山元宗町長から、「風化に抗い記憶の継承のために集いを開催されたご遺族の皆様に敬意を表し、謹んで哀悼の誠をささげます」との弔電が寄せられた。

母・美江の故郷、私が五歳から高校卒業まで育った国頭村からは宮城久和国頭村長が駆けつけ、「惠昭君とは、ヤンバルで幼いときから一緒の同級生です。お母さんもよく知っています。お父さんのことよく頑張ったね」と激励を受けた。

台湾高雄市から駆けつけた、韓国人犠牲者

朴順宗の認定賠償を応援した台湾長栄大学副教授の天江喜久さんは、「遺族の朴鈴心さん（朴順宗長女）は体調が悪く残念ながら沖縄に来れませんでした。沖縄の皆さんによろしくとのことです。青山さんが外国人の壁を取り除いたおかげで韓国人朴順宗が認定賠償されました。朴鈴心さんに代わって感謝を申し上げます」と述べ、会場から共感の拍手があがった。

犠牲者家族から、故仲嵩實の長女徳田ハツ子さんは「幼いころ、港に船が入る度に見に行ったが父はいなかった」と切々語り、思いを込めて鎮魂の与那国民謡をうたい、故石底加禰の三女具志堅美智恵さんは「天国にいる父のことを思うと、あきらめきれません」と声をつまらせた。さいごに参加者全員が一人ひとり祭壇に花一輪を手向けた。

## 弁護士会合同セミナー

二〇一八年二月二三日、沖縄県北谷町で台湾弁護士会（台北律師公會）と沖縄弁護士会の合同セミナーが開催された。台湾からは、二・二八事件青山惠先認定賠償請求裁判の弁護団のひとりである劉又禎弁護士がその経過と意義について日本語で報告した。劉弁護士は、「青山裁判」の代理人を任された薛欽峰弁護士が主宰する南国春秋法律事務所に所属している新進気鋭の女性弁護士である。

「この判決は台湾と日本で非常に注目された。日本では賛成の声が高いが、台湾では賛否両論が続いている。台湾の反対する側は、慰安婦に対する賠償も一切なくお詫びすらしない日本政府に対し、政府が賠償するのは税金の無駄使いだ、と言っている」

その指摘は台湾桃園空港における、台湾二二八沖縄会の漢那昭氏に対する台湾人婦人の発言とつながるところがあり、日本人である原告人の勝訴判決は台湾では必ずしも喜ばれていないことを表している。そして劉弁護士は報告の結びでは、こう問いかけている。

「台湾籍元日本兵や台湾籍元慰安婦の賠償問題について、日本は対日賠償請求権を放棄した条約があり、賠償責任を認めないことになったが、個人の持っている権利は、果たして国家によって一括で放棄させられるのか」

劉弁護士の問題提起はまさに的を射ている。一つは日本の東アジアに対する侵略戦争と戦後補償の問題、もう一つは個人の尊厳に対する国家の責任を問う人権問題である。台湾の司法がこうした壁を乗り越えたことは、まさに「青山裁判勝訴」が画期的判決だといわれる所以である。

セミナーの交流晩餐会では、台湾弁護士会会長でもある薛欽峰弁護士が挨拶に立ち、現在に至る台湾二・二八事件の真相究明及び認定賠償の基本的課題と「青山恵先賠償請求裁判」の画期的勝訴判決の意義と展望を語った。

交流会には又吉盛清沖縄大学客員教授と筆者が招待され、青山が裁判勝訴の報告と今後の認定賠償請求における沖縄県人犠牲者への支援協力を訴えた。

## 平和と追悼の旅「台湾二二八沖縄会」の活動

二〇一四年の「台湾二二八沖縄会」発足以来、二二八追悼と平和の旅は、遺家族と研究者、支援者が中心となって、二〇一九年までの六年間つづけて実施されてきた。

二〇一五年は、沖縄関係犠牲者のひとり石底加禰の家族も初めて参加した。二二八国家記念館（二二八基金会を併設）を訪問、主任の柳照遠氏（現在は副執行長）から大講堂へ案内され事件概要の映写と説明を受け、台北市立二二八記念館では沖縄会として初めての現地記者会見を行なった。二・二八事件犠牲者の中には台湾人の中央大学（東京在）出身者が数人いたことから、東京から同大松野良一教授が学生三人を同伴して参加、沖縄の参加者、家族と共に和平島にも同行した。その後、学生の名越大耕さんはじめ数人が沖縄を訪れて調査活動を行ない、青山家を取材し中央大学出版部発行の『中央評論No.二九一』に詳細なルポルタージュを寄稿している。

二〇一七年は民進党蔡英文総統が政権を担った初めての式典であった。七〇周年という節目を迎え、台湾出身卒業生八人が犠牲になった東京・中央大学総長も参加した。また、外国人二人目に認定された韓国人犠牲者朴順宗の長女朴鈴心さん（七九歳）も参加した。

式典終了後の「阿媽の家・平和と女性人権館（慰安婦記念館）」三度目の訪問は、執行長はじめ館ぐるみの歓迎を受け、連行された少女たちの痛ましい姿を展示したパネル写真や説明に熱心に見入り、交流会は和やかな親善友好につつまれた。そのつど支援募金も行なってきたが、現在、維持運営が立ち行かなくなり二〇二〇年一一月現在閉館を余儀なくされている。心ある人たちが再建策をめぐらせ支援金を呼びかけている。日本、沖縄からも支援の輪を広げたいものである。

二〇一七年追悼式典の翌日、二二八基金会からの要請を受けてフランス人ジャーナリストのアグネス・ルドン（Agnes Redon）氏によるインタビューを受けた。台湾二二八事件に関わる数人の人物とその特徴的な背景に焦点を当て、欧州諸国に向けたフランス語及び英語版の特集書籍『SILENCE（黙祷）』を制作する企画。私は初の外国人認定者ということで父親の出生から事件遭遇を経て裁判で勝訴判決を受けるまでのひと通りを聞き取りされた。随行のカメラマンからは腕を組んだポーズを要求され面食らったが、「馬英九さんもそうしたから」といわれやむなくそうした。一年後の追悼式で出来上がった本をいただくと、重厚なハード表紙の分厚い書籍であった。馬英九総統（判決当時任期中）の他に、蔡英文総統誕生後間もない新理事長・薛化元氏の挨拶、当局の鄭麗君文化部長、犠牲者の国民的画家陳澄波の遺子・陳重光氏等々そうそうたるメンバーである（出版 当局文化部　制作主管 二二八事件基金会）。

二〇一八年の式典は、蔡英文総統が前年一二月立法院で成立させた「移行期の正義促進条例」のもとに、真相究明への強い決意を示し、新たに発見された犠牲者（逮捕者）名簿を発表したことが大きな焦点になった。二〇二一年二月現在、五次にわたって二一四八人が明らかにされている。

『中央評論』289号、297号（筆者撮影）

二二八基金会は仏英語版書籍『ＳＩＬＥＮＣＥ（黙祷）』を発刊した（2017年11月）
青山インタビュー記事は194～195頁
（財団法人二二八事件紀念基金会提供）

同年、一段落したころ、六歳から一一歳まで五年間にわたって「台湾二・二八追悼の旅」に同行した青山惠先の曽孫にあたる安座間徳君に対して、未来への伝達者として私たち青山夫婦から〝「感謝状」を授与〟した。徳君は又吉盛清先生から「小さな外交官」と言われ、みんなの気持ちを明るくしてくれた。

「台湾二二八追悼、平和の旅」は、毎年、遺家族と支援者で行なわれてきたが、六回目を迎えた二〇一九年は、新聞等で広く呼びかけ三〇人枠として行なわれた。参加者のうち一七、八人は初参加、オペラ歌手、元アナウンサー、元学校教師、医師、大学教授、作家という多彩な顔ぶれとなった。しかし残念なことに、コロナ禍の発生で二〇二〇年から二年連続台湾へ行けなくなっている。

「台湾二二八沖縄会」として組織的活動として始まった二〇一四年から、台湾の犠牲者家族をはじめ和平島等々の人々と交流の輪を広げてきた。その間、台湾では高雄や花蓮で地震が発生して犠牲者も出た。沖縄会として台湾へ旅立つ前、沖縄県内において募金を集め、お見舞いと哀悼の気持ちを込めて、それぞれの団体へ募金を届けてきた。募金を寄せていただいた皆様には、この場から御礼を申し述べたい。

追悼式典に参加する青山恵先の曾孫安座間徳君（2016年2月　台湾二二八沖縄会提供）

和平島萬善堂廟の沖縄関係犠牲者追悼会で。オペラ歌手の兼嶋麗子さんが「童神（わらびがみ）」を歌った（2019年2月28日　台湾二二八沖縄会提供）

【コラム】

## 西村京太郎、二・二八事件を書く

「二〇一六年二二八事件追悼中央式典」から九か月後の一一月、弁護団のひとり陳緯誠弁護士と、北海道大学留学中の台北市出身許仁碩氏から、「日本の有名な小説家西村京太郎が二・二八事件で勝訴した青山さんのことを書いた新書版を出している」と教えてくれた。トラベルミステリー作家の西村京太郎氏が、「台湾二・二八事件日本人賠償裁判勝訴」を取り上げ作品化しているというのだ。

『小説現代』二〇一六年三月号に「十津川警部　愛と絶望の台湾新幹線」の連載を始め、一〇月には新書版として講談社から出版された。二二八基金会が上訴断念した二月二四日からすぐの出稿という早業である。さっそく最寄りの書店で買い求め、一気に読破した。裁判勝訴のことを現地台湾の新聞から取材し、原告を実名で記述、五〇年間にわたる日本の植民地統治にも触れ、元慰安婦や旧日本兵の戦後補償等の日本と台湾の間に浮かぶ歴史的課題に言及している。表紙カバーで、作家自らの主張を短く述べている。

「日本の植民地だった台湾では、戦後七十年経った今になって、ようやく、非業の死を遂げた日本人に対して、その遺族に賠償金を支払う旨を台北高等行政法院が可決しているが、その時『台湾は、過去の過ちに向き合うことが出来た。日本も出来る筈だ』と発表している。この言葉は、われわれにとっても重い——西村京太郎」

また、日本と台湾の関係について、本文の中で登場人物に随所で語らせている。

「日本人は、歴史を忘れますね。特に自分に都合が悪い歴史を」

「そうした偏見をもって、朝鮮を見、中国を見ていたから、戦後になって、その二国から批判され、その対応に失敗しているのだ。

台湾に対しても、日本人の多くは、終戦直後、どんな政情になっていたかもわからず、二年後の二・二八事件も知らなかった。

その時に、犠牲になった日本人がいたことも（略）日本人の多くは知らなかったのである。……そうした台湾の隠された歴史を知ることによって、はじめて、友人になれる」

人権と正義のテーマを真正面から主張し、かつ日本の植民地統治を堂々と言い放つ西村京太郎氏の姿勢と、判決からひと月足らずの3月号に連載を始めたということには感服するより他はない。

湯河原の西村京太郎記念館に電話をかけ、ご本人に感謝の意を込めた手紙を書いた。すると数日後には、直筆で八〇〇字詰原稿用紙二枚におよぶ手紙が届いた。ひと升ごとに、青いインクの万年筆でやや左に傾いた行間から、氏の誠実な人柄が偲ばれる。西村氏はその翌年、自らの体験自伝『十五歳の戦争―陸軍幼年学校最後の生徒―』を出版、少年時代の戦争体験を赤裸々に描き、戦争の非人間性を率直に告発している。

ここまで西村氏のことを述べたのは手紙のなかで述べている言葉につよく共鳴したからである。

「それにしても、台湾、フィリピン、沖縄に旅行に行くと、現地の人たちのやさしさに驚きます。おかげで、加害者という意識もなく、向うの自然や、食物を楽しむことが出来ます。あの優しさは、いったい、何処から来るんですかね」

# 第三部

# 台湾と沖縄の未来へ

# 第十章　沖縄関係被害者

## 申請却下三家族

台湾二・二八事件で犠牲になった沖縄関係者は青山惠先以外で現在三人判明している。与那国島出身の石底加禰と仲嵩實の二人と石垣島出身の大長元忠である。しかし、犠牲になった人は与那国島だけでもあと数人、あるいは命からがら与那国島へたどり着き無事に生き伸びた人はおそらく数十人はいるのではないかといわれている。その中から、筆者の知りうる人々の聞き取り、文献、書籍から拾ってみた。

**石底加禰と仲嵩實**　終戦直後の与那国島は当時、台湾との間で国境はあって無しの如く「無政府的」な状態であった。沖縄はもとより日本本土、南九州や奄美諸島等々からこの島にヒトとモノが集積し、久部良港には、既に日本ではなくなった台湾から国境を越えて多くのヤミ船が堂々と出入りし、海峡を越えた「ヤミの大交易」で一大活況を呈していた。

石底加禰は一九〇八（明治四一）年、仲嵩實は一九一七（大正六）年の生まれ。与那国島祖納生まれの二人は、漁船を使い公用船に乗れない沖縄引揚者の運送や物資取引等、台湾の漁船所有者や業者等と組んだ〝交易〟に従事していた。石底加禰はかなり前から家族と共に基隆や高雄で居住し、与那国から一番近い南方澳や台北、基隆でも足跡が確認されている。仲嵩實は戦地から復員し妻と同乗して基隆や南方澳を往来しながら生計を立てていた。

左から、仲嵩實、石底加禰（家族提供）

石底加禰と仲嵩實の二人はそのような中、事件発生の異常事態も知らずに火中の栗を拾いに行ってしまったのである。『与那国町史』（二〇一三年発行）の歴年表六〇四頁には「台湾二・二八事件で仲嵩實他二人巻き込まれ犠牲に」と記されている。

石底加禰の姪崎原のり（筆者聞き取り当時八六歳）は、二人が基隆へ出発する当夜、祖納の石底家に仲嵩實がやって来たときの模様を語っている。

「仲嵩實さんが、二月末のある日の夜遅く石底家に来て、二人は北風が吹き小雨の降る肌寒いなか、『急ごう、北風が強いから、比川海岸から基隆へ向かおう』と言った。それから二人はずぅーと島に帰ってこなかった」

南方澳や花蓮、基隆を往来しヤミ船などに関係していた島の人々たちによって、今までに言い伝えられてきたことは、二人は基隆港の社寮島八尺門にまたがる正濱漁港や八尺門漁港の埠頭に接岸し、船のノズル部品を物色していたところを国府軍に捕まった。捕らわれて銃を向けられ、命乞いをしたが、銃殺されたということである。

二人が殺害されたことが伝えられた与那国島では、妻や四人の子をはじめ、兄弟姉妹、親戚や島の人々に大きな衝撃を与え、島じゅうが深い悲しみにくれたという。

一九四八年六月、与那国町長浦崎永昇は、仲嵩實が「台湾暴動事件に遭遇し所在不明」になったとして「證明願」文書に署名し押印している。

二人の家族は二〇一六年一一月、台湾当局、二二八事件基金会へ認定賠償請求書を提出したが、翌年三月、事件に該当せずとして却下された。詳細は次の「第十一章　台湾人船主の『證文』」の項で述べたい。

**大長元忠**　一九〇八（明治四一）年石垣市生まれ。旧姓は翁長。台湾で改姓し本籍は長崎県諫早市に移してあった。大長元忠はかつて台北近郊の北投温泉で有名な台湾鉄道北投駅の駅長であった。一家は終戦直後、長男利幸が国府軍と考えられる兵隊から理不尽な暴行を受けるという

大長元忠（家族提供）

事態に遭い、元忠は一日も早い引揚げを決断した。

親しい台湾人から牛車を借りて家族五人全員で基隆港へ向かい、宮古八重山の引揚者のほとんどがそうであったように、ヤミの引揚船で故郷の石垣島へ向かった。しかし、郷里に無事帰ってきたとはいえ、働き口はなく引揚者としての厳しい暮らしを支える為には、北投の旧社宅近くの台湾人に預けてきた妻のミシンが不可欠であった。元忠はミシンを取り戻すべく家族以外誰にも相談せず一人で台湾へ渡った。そして、その日から元忠の足どりが途絶えてしまった。今のところ、台湾での目撃者はもとより証言は一人もなく具体的な証拠は存在しない。

認定賠償請求は、二男の大長直利が二〇一七年三月、二二八事件基金会へ申請したが、数か月後、証拠不十分として却下された。

大長元忠の行方については、今後、新たな証言や証拠が出て来る可能性は十分考えられる。台湾の当局・二二八基金会は二〇一八年一二月から二〇二一年二月の五次にわたって、今まで国民党政権によって秘匿されてきた二二八事件犠牲者二二四八人の氏名を公表、この中に「日本人八人」が含まれている。今後も追加発表があるとされ、大長元忠の名が出て来る可能性も考えられる。

## 事件遭遇者、逃亡者

基隆社寮島で恵先と一緒だった小橋川長助のように、二・二八事件の危機的な現場を脱出し基隆、蘇澳南方、花蓮等々から命からがら沖縄や本土に逃げて来た人は多い。とくに、ヤミ船・密貿易の一大拠点になっていた与那国島は宜蘭縣南方澳からわずか一一一kmの黒潮をまたいだ海峡である。

**伊盛時雄**　一九二一（大正一〇）年与那国島生まれ。与那国島と台湾基隆の間で密貿易をしていたとき、二・二八事件に遭遇し奇跡的生還ともいうべき体験をした証言記録「戦後与那国島の社会を築いた密貿易」（石原昌家）から要約して引用する（『町史別巻一記録写真集　与那国　沈黙の怒濤どぅなんの100年』与那国町役場、一九九七年、四一二頁）。

台北で事件に遭遇、基隆へ向かったが車に乗れる状況ではなく徒歩で向かい沿線で中国兵の検査を受け八堵駅では拳銃で頭を殴られた。その間の道路には死体が無数に転がり基隆にたどり着いたら港でも死体がいっぱい浮かんでいた。私が（与那国から）乗ってきた船は船揚げ場にあり、与那国の仲間たちと船を下ろしたらすぐ脱出するつもりでいた。そしたら、そこに鉄砲を持った一〇人ぐらいの中国兵がやって来た。

船長はと聞くので私ですと名乗ってとっさに仲間に与那国方言で『彼らを飲ませてくるから今はおろすなよ、泳いで行くから』と段取りをつけていた。
そこで彼らを近くの飲み屋に連れて行き飲み食いをさせ、度数の強い酒をどんどんついだ。二時間ほどたつと、仲間が船揚げ場から船をおろしているのが見える。船がおりたので、パッと飲み屋を飛び出して海へ飛び込んで船に渡った。中国兵は銃撃したが酔っぱらっているので当たらない、そのまま逃げて与那国島に無事たどり着いた。

**大城正次**　一九二三（大正一二）年与那国島生まれ。ある日のこと、筆者の二二八事件遭遇に関するテレビ報道を見て、「台湾二二八事件の青山さんのことを知っているという人がいる」と知人から連絡があり、紹介されて直接お会いし、二〇〇七年一一月と一二月、体験談をいただいた。

私は社寮島で呉禮さんという台湾人船主に雇われ、留用人として光隆号という漁船の船長をしていた。青山恵先さんの従兄の青山先澤さんは、ワシの知り合いで幡生號という漁船の船長だった。
ワシらは事件から二日後、カジキを三七本挙げて入港した。しかし、船主が血相変えて来て、「今大変だからオカ（陸）へ上がるな、引っ張られて大変なことになる、早く魚下ろしてすぐ与那国へ避難しなさい」といわれた。
「ここでは危ないから東海岸の南方澳（蘇澳南方）で米や味噌などを買って、早く行け」という。そして、与那国に行ったら蘇澳や花蓮から台湾人がたくさん逃げて来ていた。ひと月ぐらい後に、事件は収まっただろうと台湾人を基隆へ連れて行った。呉禮さんと会ったら、沖縄人二人が引っ張られて行くのを見たという、一人は私も知っている二、三歳上の機関長だった与那国の人、名前は、ふ、く、……あゝ、思い出せない。私は目撃してないが、兵隊が強制的に車に乗せて後で撃たれたそうだ。
基隆では、幸いに呉禮さんのとっさの判断で逃げなければ、私も捕まれてどうなったか分からない。

二・二八犠牲者仲嵩實の長女徳田ハツ子さんから聞いた話では、「大城さんがいう『ふ、く、何とか……』という人は、やはり事件でやられたという与那国出身の譜久山當功さんのことではないかと思う」とのことである。

**徳田金一**　一九二九（昭和四）年与那国島生まれ、那覇市在住。仲嵩實長女徳田ハツ子さんの夫。二〇一六年八月、筆者が二回にわたって自宅で聞き取りした。

一七、八歳のころから島を出て台湾の南方澳へ行った。兄が与那国島の大朝商店所属のカジキ突き船船長をしていたので、それに乗って、四、五名ぐらいかな。一二屯の日の出丸という船、基隆や花蓮港、ガランビ（台湾最南端の岬）にもよく行った。社寮島近くの浜町桟橋（今の正濱漁港）で停泊していたとき、中国兵がワシらの船に無理やり乗り込んで来てお金を奪われ怖かった。八尺門（社寮島入口漁港）では腕章をしてないといって台湾人が殺された。これはもう大変だと、すぐ与那国に逃げた。あわてて、与那国に帰ってみたら、驚いたことに、島の人たちから「仲嵩實さんが台湾基隆で殺された」という。みんな悲しんでいたよ。

**大浦太郎**　一九一五（大正四）年与那国島生まれ。著書『密貿易島　我が再生の回想』（沖縄タイムス社　二〇〇二年発行）から引用、要約する。

一九三二年、一七歳で旧制那覇商業高をやめて台湾に渡り、台北では新聞記者をはじめ貿易商社員として働き、「満州」や南太平洋へと派兵されるなど波乱の青年期を送った。終戦と同時に妻子を伴って郷里与那国へ引き揚げるために南方澳で船待ちした。

しかし、台湾各地から引揚者が殺到したいへんな混乱に陥っていた。

遂次急迫する南方澳集落の雰囲気は、いつ中国官憲（国府軍）の手が伸びて事態の悪化を招くかという不安と焦燥で、一歩でも早く乗船したいという緊迫感で大騒ぎになった。（中略）騒動を繰り返しながら永漁丸に乗り込んだ集団は、息がつけないほど詰め込まれ、動けなくなった。（略）一路、与那国島へ船首を立て直した。

そして、帰郷した大浦は、間もなく台湾で大事件が起こったことを知った。

「台湾の革命・動乱は失敗した。弾圧は徹底的で、犠牲者四万人を数える。与那国出身者は仲嵩実ほか二人が巻き込まれた。（略）第二次世界大戦終結に伴う混乱の中で起きたいわゆる二・二八事件であった。戒厳令を発し民政を完全掌握、港湾、海岸線、河口の警戒態勢を強化し、船舶を厳しく制限した。だが、数世紀に及ぶ歴史と日本帝国統治による独自の文明と文化を切り開いてきた台湾の人たちがそうやすやすと彼らの手に治まる訳はなかった。

**下地夏子**　宮古島から台湾に疎開した下地啓義さん（当時一五歳）の家族は敗戦後、姉の夏子さん（当時一九歳）を残して郷里宮古島へ引揚げた。啓義さんは途絶えていた夏子さんの消息を探して一九六六（昭和四一）年台湾へ渡り二〇年ぶりに再会を果たした。『沖縄タイムス』連載記事「波濤―台湾引き揚げ―2」（二〇一八年七月七日）から引用、要約する。

夏子さんを時代の波が襲った。四七年二月の国民党軍による『二・二八事件』だ。大陸から来た国民党に抵抗した人々や住民二万人以上が虐殺された。基隆で夏子さんは発砲する国民党兵に追われた。橋から身を投げ命は助かった……。身を守るため台湾人と結婚し台湾籍になった。今度は『二・二八事件』扇動者と密告され、逮捕された。
処刑寸前知り合いが沖縄出身を示す『結婚証明書』を手に駆け付けた。夏子さんは釈放された、死の恐怖から生還された夏子さん。明るい笑顔は消えていた。啓義さんは姉の帰国を琉球政府に掛け合った。「台湾国籍を取得し永住できない」。返ってきたのは非情な回答だった。夏子さんと啓義さん姉弟は敗戦で引き直された国境、沖縄と台湾の軍事占領に翻弄された。……啓義さんは今でも悔やむ。「あの時引き揚げ船に乗れれば違った人生があった」。晩年、帰省がかなった夏子さんは一〇年前に亡くなった。遺骨は台湾に眠る。

**呉蒼生**　台湾人逃亡者。一九一〇（明治四二）年台湾彰化県生まれ、故人。石垣島在住の呉さんの孫・林素湄さんから聞いた話と、『琉球新報』記事（一九九七年四月二六日）及び松田良考著『八重山の台湾人』（南山舎、二〇〇四年）を参考に述べたい。

呉蒼生は彰化で三七歳のとき、二・二八事件で抗議行動に立ち上がった民衆のリーダー的な人物をかくまったという理由で指名手配され、仲間二〇数人とともに三〇屯ばかりの老朽ヤミ船に乗り込んで、荒海の中を日本へ逃亡した。警備隊の追跡をかわし、浸水をかきだし、二日目に命からがらたどり着いたところが与那国島だった。

その後、沖縄島から久米島へわたり茶の商売を身につけたころ、一九六二年、台湾人友人に誘われて石垣島に移り住むことになった。ずっと無国籍のままでいたが、西表島炭鉱で死亡した「中村巌」という名を語って住民登録。しかし台湾当局にばれて強制送還されそうになった。そこで、石垣の台湾人集落の人々が身元引受人となってくれて助けられた。

石垣では、茶舗を経営し沖縄初の華僑総会を設立、「台湾人酋長」とよばれた。そのインテリ素養から、沖縄返還の際は台湾人の日本帰化申請の手続きを指導するなど大きな信頼を得ている。戒厳令解除から七年後、二・二八事件の責任と真相が明らかにされつつあった一九九四年、四五年ぶりに故郷に帰ることができた。

ずっと無国籍だった彼は、台湾から戻ってきて国籍回復の手続きを始めようとしていた。だがすでに病に侵され、一九九五年一月二二日、八四歳の生涯を終えた。二〇一三年、呉蒼生の墓は石垣島から故郷の彰化県に移された。妻は、二二八事件基金会へ認定賠償を請求したが、二〇一七年一〇月、「証拠不足不成立」と言う理由で却下された。

関係者によると「指名手配の文書に呉蒼生の名前がない」ということがネックになったという。家族は「残念ながら仕方ない、断念する」としている。

# 第十一章　台湾人船主の「證文」

## マラリア死亡届

二〇一七年七月、二・二八事件で犠牲になった与那国島出身の仲嵩實と石底加禰の二人は、台湾当局に認定賠償請求を申請したが、事件に該当しないとして却下された。同年九月には不服申立てをしたが再度却下され断念を余儀なくされた。その理由は大きく二つあった。

①戸籍謄本にはマラリア死亡という診断書付きの死亡届が提出され、死亡年月日は一九四九年三月二八日となっており当事件とは関係しない。

②当時の浦崎栄昇町長の證明書は、与那国町役場は証明できないとのことで信憑性がない。また文書の作成年月日は一九四八年六月一六日付とされ一年余も隔たりがあり当事件とは関係しない。

申請人の徳田、具志堅両人はその後も、行政院長（首相）へ不服申立書と調査依頼書を提出したが最終的には二〇一八年二月六日付で取り下げられた。

却下の決定的理由とされた死亡届が提出された経過と背景を振り返ると、二・二八事件に遭遇し行方不明になったという「事実」を向こうに置いて、仲嵩家は一九五八年七月、石底家は一九六一年一一月、マラリア死亡という医師の「病死診断書」を役場に提出していた。法律上、行方不明から七年後に失踪宣告を家庭裁判所に申立て、官報に提示し審査確定後に役場に届け出ることが筋である。

しかし、戦争で肉親を失った家族は、終戦直後の混乱期に「後始末」を行なうにあたっては、役場も医師も一緒になって戸籍をつくったのであった。先に触れた台湾空襲で行方不明になった私の母方祖母も祖父によって沖縄に引揚げ後の自宅で病死とされ、七年経っても失踪宣告の申立ては行なっていない。


「私ガヤトッテ居リマシタ」


それから一年半後の二〇一九年夏、思いも寄らぬ驚くべき文書が現れた。「仲嵩實ハ私ガヤトッテ居リマシタガ、中国軍ニ銃殺サレタ」という台湾人船主による「證文」という手書きの文書である。

文書はB四版半切れ、赤枠付き便箋、手書きで書かれた日本語の漢字と片仮名の縦書き一枚。

要約すれば、「仲嵩實は台湾人船主に船長として雇われ、一九四七年三月一〇日ごろ、中国兵に殺害された」ということである。

文書は船主の鐘志寛が「證文」として作成、船名は勝發號と明記されている。船主の鐘志寛は殺害された仲嵩實に対する心からの哀悼の意を表し、弔慰の証として自ら所有する勝發號の船舶を仲嵩家に譲渡するとしている。船主・鐘志寛の切々たる想いと同情が伝わってくる。提出先は南西諸島宮古軍政府長官、日付は昭和二二（一九四七）年四月一〇日と記されている。

この証文、どこかでひっかかりがある。二、三日経って、ふと仲嵩弘さんの顔が浮かんできた。行方不明者・仲嵩實の実弟である。

## 実弟を訪ねる

二〇〇九年四月、私は、長年の念願であった、父が何度も通ったという与那国島へ渡った。父の事件遭遇に関わる手がかりを探ることと、父と同じ基隆社寮島周辺で殺害されたという仲嵩實と石底加禰のことに直に触れたいと思ったからである。

まずは犠牲者仲嵩實の実弟仲嵩弘さん（故人）を訪ねる。二・二八事件の犠牲者家族と直接対面することは初めてだった。弘さんは笑顔で快く応じ、小学校六年生のころに實兄が台湾の事件で殺害されたこと、成人になってからは花蓮や基隆にも何度か通ったという話をうかがい、様々な資料や写真を見せてもらった。国境の島でたくましく生きてきたバイタリティーあふれる風格をそなえ、實兄上もこういう人だったのかと思わせた。夕方、奥さんの初子さんから島特産のカジキの刺身をふるまわれ、島の泡盛を酌み交わしながら、私の父の話も熱心に聞いてくれた。

これを機に二年後も島を訪ね、ふたたび弘氏と再会した。小学生だったころ、實兄が台湾南澳から連れて来て同居していた台湾人少女マサ子さんのことを話し、次は那覇で会うことも約束もしていた。残念なことにしばらくして急病で亡くなられた。肝心な話はこれからと考えていた矢先のことであった。

初めての与那国島行きから一〇年後の二〇一九年七月、知人の東アジア史研究家から、「書棚の古い写真CD等々を整理していたら、与那国島へ行ったときの仲嵩家で拝見した文書が出てきた。ずっと気づかずに見過ごしていたが、なにか役に立つでしょうか」と問い合せのメール映像が送られて来た。

映像は茶色に変色した一枚の紙切れであった。初めて見る映像だが、この話どこかで聞いたような感じで、すぐさま一〇年前に弘さんと会った時のスケッチブックと小さなメモ帳を探し出してみると、「キールンの台湾船主ショーモン、どこにあるか探してみる—弘さん」となぐり書きされてあった。

さっそく仲嵩實の長女徳田ハツ子さんにプリントを見てもらうと、驚きと戸惑いを見せ、「こういうことがあったなんて、初めて聞く話で全く聞いてない。父が台湾とつながっていたという証拠が初めて出て来た」と語り、ひとすじの光が差しこんだような表情をみせた。

## 宮古軍政府あて

文書の存在はまさに青天の霹靂（へきれき）であった。文書の信憑性が確認されれば、戸籍謄本の死亡届が虚偽であったことが証明され、当時の浦崎栄昇町長の證明書は真実だったことになり、認定賠償の決定的ともいえる成立条件となる。それはまた、戸籍訂正を家庭裁判所へ申立てる上で大きな力になる。

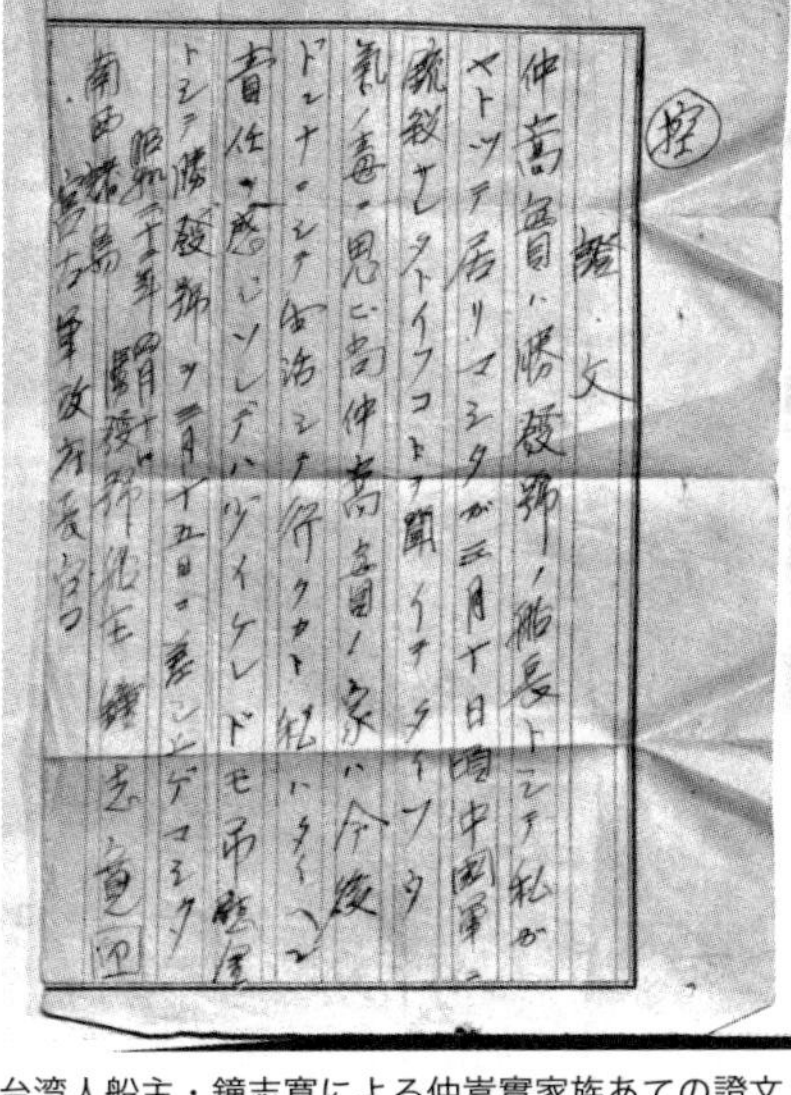
（控）
證文
仲嵩實ハ勝發號ノ船長トシテ私ガ
ヤトツテ居リマシタガ三月十日頃中国軍ニ
銃殺サレタトイフコトヲ聞イテ居リマシタ
氣ノ毒ニ思ヒ仲嵩實ノ家族ハ今後
ドンナニシテ生活シテ行クカト私ハ多イニ
責任ヲ感ジソレデハ少イケレドモ弔慰金
トシテ勝發號ヲ二月十五日ニ差シ上ゲマシタ
昭和二十一年四月十一日　勝發號船主　鐘志寛　印
南西諸島宮古軍政府長官

台湾人船主・鐘志寛による仲嵩實家族あての證文

文書によれば、二人が事件に遭遇し殺害された場所は基隆市社寮島周辺の浜町、八尺門あたりと伝えられていることから、船主の鐘志寛は基隆市の関係者と思われ、勝發號の船籍もそのあたりではないかと考えられる。船主の鐘志寛本人の執筆なのか。南西諸島米国宮古軍政府あてとなっているが本文書は果たして米軍当局へ渡ったのか。譲渡された後の船の行方はどうなったか……解明すべき疑問が次々と湧いてくる。

事件の二か月前に完了していた沖縄県人の台湾引揚者はおよそ三万人といわれている。公用の引揚船に乗れず、宮古と八重山の引揚者は先を争うようにヤミの引揚船に乗り込んだ。一九四五年一一月基隆沖、大幅な定員超の上にエンジントラブルを起こし強風に煽られ漂流、座礁、沈没して百数十人の犠牲者をだした「栄丸遭難事件」はそうした状況での悲劇であった。

この證文から推察されることは、仲嵩實と石底加禰は台湾人船主に雇用され、先述した通りヤミの引揚船（民間船といわれた）かヤミの貿易船に従事していたが、證文の宛先は「米軍宮古軍政府」となっている。二人が事件に遭遇したとき、沖縄人の引揚げ業務は既に終結していた一九四六年一二月以降であり、主たる「仕事」はヤミ引揚げではなく、もう一つの密貿易ではないかと思われる。

## 勝發號は勝発丸か

大浦太郎著『蜜貿易島　我が再生の回想』の中に、「勝発丸」という文字がある。台湾人船主鐘志寛が仲嵩實を船長に雇っていた「勝發號」のことではないかと直感。精読していたはずが今になって気づいたことである。「勝」は同じ、「発」は繁体字の發、「丸」は號を日本式の丸にしたものなのか。前掲書の一八三頁から一八五頁の記述をみる。

一九五〇（昭和二五）年六月、与那国島の密貿易の最盛期に、交易関係者はCIC、米軍部隊によって一網打尽にされた。交易関係者は、その船団と一緒に与那国から宮古島に連行され、米軍政府の裁判に付された。私も証人として同行した。当時の雑記ノートには次のように書いている。

松本通訳官から判決を言い渡された。
八幡丸　入小底　二ヶ月　拘留除き一九日
清福丸　新　垣　六ヶ月　同　三ヶ月
**勝発丸　佐久本　二ヶ月　同　一四日**（太字　筆者）
富栄丸　当　間　九ヶ月　同　七ヶ月
外三船主　　無罪　　釈放
（略）
宮古の軍事裁判が終わると、一行は釈放された。三隻の漁船に分乗し、石垣港へ向かった。
私も一行とともに八重山へ引揚げた。（略）同行した者は翌日与那国へ帰った。

沖縄戦が終結し本格的な占領支配に取りかかっていた米軍による軍事裁判のことである。この文書が出てきたことで行方不明になった仲嵩實、ひいては石底加禰、二人の真相が目前に迫って来た。ここでまずは船主の鐘志寛という人物を探し出すことになる。どこの誰で、どこの船なのか、七四年前のことだが、人物名と船舶名称が特定されたことによって雲をつかむような話ではない。しかし、仲嵩、石底両人の家族や親戚が与那国島における当時の漁港筋や関係者に尋ねたが、それらしい情報は出てこないという。唯一の情報として、大浦太郎氏の前掲書に出てくる「勝発丸」という船の佐久本という船主は、与那国島の祖納集落に居住していたことが分かっている。

筆者は台湾の数名の知人に問い合せ、それなりのアンテナを巡らせているが、今のところ情報はつかめてない。ならば思い切って、仲嵩、石底両関係者が台湾で記者会見をするなり現地での直接行動に訴えることも考えられる。しかし今のコロナ禍の状況ではむずかしい。ただ、認定賠償請求には法的な申請期限があって、当面の期限は二〇二二年一月一八日となっている。申請期限が迫るなか、糸口が見いだせない状況であるが、未だ天空でさまよう犠牲者に応えられるよう犠牲者家族みんなで知恵を出しあっていきたいものである。

# 第十二章　歴史を記憶すること

## 八人の日本人犠牲者

蔡英文政権は二〇一七年一二月、国民党一党独裁時代の二・二八事件や白色テロなどの人権侵害や不正義を追及する法案を立法院で可決させた。それを受けて財団法人二二八事件記念基金会による調査を通して二〇一八年一二月二五日、第一次受難可能者（逮捕者）名簿を発表した。蔡総統は引き続き二〇二〇年二月二八日、「二二八事件73周年記念犠牲者追悼式典」の場であらためて事件の真相究明を継続していくとして「歴史を記憶することは過ちを繰り返さないようにするだけでなく、台湾社会を団結させ、民主を強固にする」と表明した。二〇二一年の「二・二八」を目前にして二月一日、第五次となる受難可能者名簿六八七人を発表、この三年間で二一四八人を数えるに至った。

新たに発表された受難可能者名簿　（財団法人二二八事件紀念基金会発表）

第一次　四七七人　二〇一八年一二月二五日発表
第二次　三三八人　二〇一九年三月二五日発表
第三次　三七九人　二〇一九年一〇月一日発表
第四次　二六七人　二〇二〇年二月二七日発表
第五次　六八七人　二〇二一年二月一日発表
合　計　二一四八人

この数字は既に認定賠償が成立している犠牲者数八六七名をはるかに上回っている。ちなみに、二〇二〇年一二月一六日現在の死亡認定者は六八七人、失踪認定者は一八一人である。

事件から七四年余も経った今もなお、明らかにされた機密文書から新たな犠牲者・被害者が掘り起こされるところに、この事件における歴史的残虐性が浮かび上がってくる。

現在の認定賠償成立件数は死亡・失踪の他に留置及び懲役、負傷等々を含めて二三二四件である。極端に少ないこの数字は何を意味するのであろうか。異例ともいうべき五次にわたる発表は、いみじくも台湾二・二八事件の真相解明は未だ道半ばということを物語るものとなっている。

注目されるのはこの中に日本人八人が明記されていることである。日本人犠牲者は、第一次では〇人、第二次五人、第三次一人、第四次二人、第五次〇人。出身地は広島県人の一人だけが記され、他の七人は不明となっている。中には上里昌正という沖縄関係者と思われる姓名があり、昌が付く名は宮古伊良部島だけにあること、そして、南姓が奄美と八重山地域にあることが分かり、現在問い合わせである。もう一人、竹内姓は、生前の母から聞いていた社寮島の話のなかで、与論島出身の竹内姓がいたといい、親戚や知人等々に問い合せ中である。沖縄県内紙や奄美の新聞でも報道されたが、今のところ反応がない。

私の調査によると、台湾二・二八事件の日本人犠牲者は、従来の七人に加えて合計一五人。成立あるいは不成立の判定が下された日本人犠牲者七人の内訳は、事件直後の弔慰金処理が一人、成立三人、却下三人である。氏名、拉致連行月日、場所、本籍、年齢、備考は次の通りである。年代はいずれも一九四七（昭和二二）年。

木村敏夫　三月一日／台北市。日僑管理委員会留用職員。公務中国府軍兵士により殺害された。遺族に台幣二〇〇万円の弔慰金が支払われた。二〇〇八年発行『歴史としての台湾引揚』（台湾引揚研究会）から引用。二六歳、茨城県出身と思われる。

堀内金城　三月初旬／台北市。台湾チッソ社社員、蜂起した民衆にダイナマイトのありかを教えたということで国府軍に殺害された。二〇一八年一二月、認定賠償成立。長野県出身、四八歳。

坂井徳章　台湾名は湯徳章　三月一三日／台南市。弁護士、二二八事件台南市処理委員。民

衆の面前で銃殺された。台南市公園に「正義と勇気の英雄」として胸像が立つ。父は熊本県出身で母は台湾人。認定賠償成立、四〇歳。

青山惠先　三月一一～一三日／基隆市。行政訴訟裁判勝訴を受けて二〇一六年二月認定賠償成立。鹿児島県与論島、妻は沖縄県国頭村出身、三八歳。旧社寮島琉球人集落に居住。

仲嵩　實　三月一〇日ごろ／基隆市。二〇一七年七月法的要件不成立。沖縄県、三〇歳。与那国島と基隆を往来する蜜貿易船に従事していたと思われる。

石底加禰　三月一〇日ごろ／基隆市。二〇一七年七月法的要件不成立。沖縄県、三九歳。与那国島と基隆を往来する密貿易船に従事していたと思われる。

大長元忠　二～五月／不明、二〇一八年一二月証拠不十分不成立。長崎県、三八歳。石垣島出身で元北投駅長。石垣島へ引揚げた後台湾へ再渡航。

財団法人二二八事件記念基金会が、新たに二〇一八年一二月から二〇二一年二月までに発表した、日本人犠牲者八人。氏名・逮捕月日・部署・罪名・出身地・年齢。（発表順）

田中　元　記載なし　・基隆要塞司令部・暴動犯、広島・二八歳

間瀬　悦　三月二六日・高雄市警察局・暴動犯

澤田満志雄　四月一三日・憲兵第四団・暴徒犯

二二八国家記念館に展示されている犠牲者遺影パネル。中心部最下段に一人だけあるのは青山惠先遺影。氏名等記載だけで遺影無しの空白は遺家族が写真無しか廃棄か提供せずのところ（２０１６年、高誠晩氏提供）

上里昌正　　四月二四日・憲兵第四団・暴徒犯
竹内一作　　四月二四日・憲兵第四団・暴徒犯
濱口林一　　四月二四日・憲兵第四団・暴徒犯
石中（石井）清治　三月一三日・高雄市警察局・暴乱犯、二九歳
南　正作　　四月一日・高雄市警察局・暴乱犯、四二歳

この発表に接して驚いたことは、人間の命を奪ったあるいは拉致、連行、逮捕したという公的記録が七〇年余の間、表に出されず闇の中で眠っていた、秘匿されてきたということである。人間の記憶が失われる時を待ち続けてきたのであろうか。

### 強制失踪防止条約

人間の尊厳と人権に関する国際人権規約という国際的な約束事がある。台湾は国連に加盟していないが、二〇〇九年に国内法に取り入れるなど、人権に関する取り組みがすすめられ、原発やジェンダー平等の問題では人権先進国といわれるほどだ。

強制失踪防止条約は、二〇〇六年一二月二〇日、国連総会で採択し国連人権理事会で討議され二〇一〇年に発効。当時、北朝鮮の日本人拉致問題に直面していた日本は二〇〇七年に署名、二

〇〇九年に批准している。

第二条に強制失踪の定義が次のように述べられている。

強制失踪とは、国の機関又は国の許可、支援若しくは黙認を得て行動する個人若しくは集団が、逮捕、拘禁、拉致その他のあらゆる形態の自由のはく奪を行う行為であって、その自由はく奪を認めず、又はそれによる失踪者の消息若しくは所在を隠蔽することを伴い、かつ、当該失踪者を法律の保護の外に置くものをいう。

残念なことに、この条約には成立以前の事件には適用しないという条文がある。しかし、強制失踪を許さないという国際的な約束のもとに「人権侵害には時効がない」という人道法上の大原則を全うしたいという願いが込められている。

台湾二・二八事件における二〇一八年一二月以降の新たな日本人犠牲者八人は現在（二〇二一年五月）のところ、家族あるいは関係者が名乗り出ていない。台湾から発表された犠牲者名簿は日本ではほとんど周知されてないから当然のことであろう。

台湾二・二八事件そのものが日本では認知されてなく日本人犠牲者がいたことなど論外という状況だ。この犠牲者たちは、私の父と同様の失踪者ではなく明らかに死亡か強制失踪に致らされた人々と思われる。被害者と加害者が特定されているということだ。

事件が収束した一九四七年五月末の後、八名の家族はどうされていたのだろうか。終戦直後の激動の時代、行方が分からなくなった肉親をどのよう受けとめたのだろうか。それぞれの出身地の家庭裁判所に失踪宣告を申立て、審査が確定し役所か役場に届け出たのだろうか。除籍の戸籍謄本にどのように記載されているのだろうか。あるいは、先述の仲嵩實や石底加禰のように、仕方なく「偽り」の病気死亡届を出したのだろうか。

家族、何らかの関係者、どこかで聞いたことがあるという方は、ぜひ名乗り出ていただきたいものである。私のように申請が却下され、当局と争うような法廷闘争までいくことはない。戸籍上の資格条件を満たした犠牲者に最も近い人物が申請書を作成し、台湾の当局・窓口機関である財団法人二二八事件記念基金会へ認定賠償請求書を提出する。遺家族であることが確認されると審査を経て最終的に理事会の決議で決まる。

長野県出身の掘内金城（二二八国家記念館に展示。財団法人二二八事件紀念基金会提供）

父・青山惠先の賠償補償はいったんは却下されたが法廷闘争を経て、外国人として初めて認定された。外国人除外条項が取り払われ、二〇一七年には外国人二人目として韓国人の朴順宗、さらに二〇一八年には日本人二人目として長野県出身の堀内金城（ほりうちかねき）が認定された。一九四七年三月初旬、台北市で留用人として会社勤務中拘束、殺害されたとされる。

七三年前の台湾で非業の死を遂げ、天空でさまよう死者たちの魂は未だ鎮まらない。台湾当局の新たな犠牲者・被害者名簿は現在も調査・審査が続いている。これからも随時発表され日本人の名が現れて来る可能性は大きい。

# 第十三章
# 沖縄と台湾、そして日本

## 牡丹社事件と「琉球処分」

台湾と琉球、沖縄を考えるとき、今からさかのぼること一五〇年前、一八七一（明治四）年に起きた「琉球人台湾遭害事件」を忘れることはできない。琉球国首里王府に向かう宮古島貢納船が台風に遭い台湾南部に六九人が漂着し三人溺死、六六人が上陸した。しかし現地牡丹郷などの先住民パイワン族に五四人が馘首殺害され、一二人が保護されかろうじて一年後琉球に帰還したという事件である。

沖縄県は当時琉球国であった。琉球国と台湾を版図に組み入れようとする大日本帝国明治政府はこの事件を利用して画策、清国には彼の地を「化外の民」と言わさせ、一八七四（明治七）

年、西郷従道をして「征台の役」と称する、台湾出兵を強行した。対して牡丹郷やクスクス社の住民たちは四重渓の「石門の闘い」等で対抗したが、近代兵器で武装した西郷軍にはどうしようもなく鎮圧された。歴史学者たちは、琉球人遭害事件から台湾出兵までの一連を「牡丹社事件」と称している。戦勝した明治政府は最大限に政治利用、武力で「琉球処分」を成し遂げ、琉球国は消滅し廃藩置県が達成された。

事件の発端となったなりゆきは、牡丹郷民と琉球漂流民の間には共通した言語や文化がなく、不幸な誤解から生じた事件であった。

事件から一三三年後の二〇〇四年、現地で「牡丹社事件一三〇年、国際学術会議」が開催され、沖縄から参加した沖縄大学又吉盛清教授と牡丹郷郷長はお互いに謝罪し、和解を誓い合った。そして翌二〇〇五年、牡丹郷民たちは「和解の旅」を企画し、宮古島へ渡り、宮古島平良市の伊志嶺亮市長をはじめ宮古島の遺族の末裔たちと交流し、未来永劫の平和と和解を誓いあった。現在、双方に「平和と和解の石像」が建っている。

筆者は牡丹郷に三回訪れたことがある。琉球船が漂着した緩やかな湾曲をなす八遙湾、牡丹郷の静かな佇まいと学校を訪ねたときの子どもたちの姿が印象深い。郷民たちの作った郷土料理を囲んで歌や踊りの交流会、日本語を語る長老たちの笑顔、石門の闘いの麓にある牡丹社事件記念公園でみた平和と和解の石像、畑地にぽつんと立つ大日本琉球藩民五四名墓、日本軍が上陸した車城・亀山、等々が頭の中を駆けめぐる。

二〇二一年はちょうど一五〇年の節目を迎え、牡丹郷民たちは、あらためて宮古島へ渡り、さらなる和解の深化をすすめ、友好と親善を望んでいる。しかしこの項を記しているときに、残念な知らせが入った。コロナ禍のまんえんする中、和解の旅は中止することになった。コロナ禍が収束されたときには、牡丹郷の人々が宮古島へ来られ、盛大な交流を行ないたいものである。

## 台湾遭害事件と一族の伝承

台湾というと昔、母の実家渡慶次家のあるヤンバル国頭村で暮らしていたころ、隣に住むマーズーウンメーという婆さんが子どもたちの前で話していたことがある。

「昔々琉球の船が台風に遭って台湾に流れ着いた。そこで首狩り族に捕まれて五十人余りが殺された。でも、なんとか逃げて生き残った一〇人余りが、唐の国を回って一年後に那覇に帰ってきた。そのなかに親戚もいて父さんたちは港に迎えに行ったそうだ」

ずっと後になって、この話は一八七一（明治四）年に起きた牡丹社事件であることが分かった。婆さんというのは、私の祖父渡慶次賀篤の一三歳上の姉で、当時八〇歳を越えていた嘉陽眞鶴のことである。渡慶次家は元々那覇の薛氏を名乗る下級士族の一族であった。琉球王国の官船に関する従事者が多く那覇港周辺の泉崎、楚辺、久茂地に住んでいた。明治政府の「琉球処分」の後、ハイバンヌサムレー（廃藩の士）として沖縄島の最北端国頭村に落ち込んだ一族で、私から言えば四代前の曾祖父の時代である。はとこ（またいとこ）にあたる一族の長老渡慶次広さんによると、「マーズーウンメーや親戚から、台湾へ旅行に行ったとき、いろいろ聞いたことがある。渡慶次家は那覇とヤンバル各地を貿易するヤンバル船を持っていたからね」という。

牡丹社事件に関する文献をみると一二人の生還者のなかに渡慶次松という名があって、出身地は「那覇泉崎」と記されている。さらに一族の家系図には八重山に赴任していた人もいて、男の苗字は全て「賀」から始まり「松」という一文字の名前はない。長老がいうには「松というのはおそらくワラビナー（童名）だろう。渡慶次家の人が牡丹社事件の生き残りという確たる証拠はないが充分考えられることだ」という。

渡慶次家の墓の改築工事に際し二〇一二年一〇月、明治中期に改造されたという亀甲墓の取壊し前に骨壺等が取り出された。中から大小一〇数個の厨子甕が日差しを浴びて「下界」に晒された。銀製のじーふあ（かんざし）も出てきて、古い骨壺は同治三年（清の年代・一八七〇［明治三］年）や同治五年（一八七二［明治五］年）と記され、位牌には筑登之（ちくどぅん）という士族の位階名も出てくる。しかし薛姓家系図には牡丹社事件に関わりのありそうな記述は出てこない。

渡慶次松という人を通して、一八七一年に起きた琉球・沖縄と台湾、琉球史の象徴的な事件を考えるとき、大日本帝国の五〇年にわたる植民地支配から、一九四七年の二・二八事件につながる台湾は、私にとって、昔から、そう遠い存在ではなかったのである。

二・二六事件のこと？

台湾二・二八事件のことを、ほとんどの日本人は知らない。台湾が日本の植民地だったことさえ知らない若者も多く、年配者の中にも、戦前のクーデター事件の二・二六事件のことではないかという人も少なくない。そしてまた、日本社会では台湾は親日（的）だとよくいわれる。ほんとうにそうだろうか。

引揚げ後初めて台湾へ渡った二〇〇七年、追悼式典前日の記者会見場で現地記者から、「あなたは賠償金を貰いにわざわざ日本から来たのか」と質問され、しばらく絶句したことを憶えている。そして、「父が二・二八事件に遭遇して失踪したことを認めていただきたいと考えて台湾に来た」と応えた。そのことは今も脳裏を離れない。事件に対する現地のスタンスはこういうものなのだと重々肝に銘じることにした。

慰安婦問題等で却下された後の裁判闘争で勝訴判決が下されたとき、台湾現地新聞のひとつ中国時報は大見出しで「二二八事件で日本人が勝訴」と書き、蒋介石が用いた「以徳報怨（怨みに報ゆるに徳を以ってせよ）」の言葉を引用し、「否認強徵慰安婦、将心比心、日應誠實面對」と見出しをつけ、「元慰安婦や元日本兵のことはどうする」と報じた。

二二八基金会の陳士魁理事長は二〇一六年追悼中央式典会場で演壇から「台湾は応えました。今度は日本が応えるとき、日本に帰ったら伝えてほしい」と述べている。

沖縄から追悼式典に参加した漢那昭氏は、帰りの桃園空港で出会った台湾人婦人から「日本人に賠償するなんて、台湾にはもっと苦しい人たちがたくさんいるのに」と抗議めいたことをいわれた。

中国北京で二〇一六年五月に開催された「中国・琉球関係学術会議」の場で、台湾から参加したある学者は、二二八事件犠牲者青山惠先の認定賠償請求裁判で勝訴判決が決まった原告人・青山惠昭について次のように論評している。（　）内は筆者による。

　二〇一四年末から（台湾で）行われた県長、市長選挙で（国民党が？）大敗した以後、民進党の地方政府（台湾当局のこと）は政治力を利用し日本国と琉球の親日派と連携している。台湾独立派は最初に二二八事件の琉球人家族青山惠昭の賠償を台湾当局より勝ち取ることに成功した。この案件は琉球人と台湾人にとって中国政権の被害者であることを作り上げた。

（会議論文集三一〇頁、日本語訳）

法廷公判が行われた二〇一五年九月から二〇一六年二月までの期間は、国民党馬英九政権の時代であった。判決は司法当局が「人権に国境がない」とする国際人権規約を取り入れた台湾国内法に基づいた判決であり、司法の独立という立場から判断をしたことに敬意を表したところであった。結局、政権とその対処機関である二二八事件記念基金会理事会は、控訴せずと議決し民主的に決めたことであった。原告であった私にとって「台湾独立派との連携」等々、荒唐無稽で全く身に覚えのないことである。

裁判闘争で支援してくれた劉又禎弁護士は、沖縄で開催された台湾沖縄弁護士会交流セミナーの講演の中で「青山裁判の勝訴判決に対する台湾における反応は複雑で賛否両輪である」（二〇一八年二月二三日）と冷静に報告している。

基隆市街地から和平島に向かうはずれの道路脇に、基隆市政府が管理するかつての日本帝国軍が台湾に進攻した当時（一八九五年）の最高司令官北白川宮能久親王の記念碑がある。私がこの地に初めて訪れた二〇一四年当時、高さ三m近い石柱の碑文は剥ぎとられ、敷地入口の説明案内版にある親王の顔写真には黒ペンキが投げつけられ、見るも無残な姿であった。これらは何を物語るのだろうか。

## 台湾籍元日本兵

高雄市台籍老兵文化協会が運営する高雄市の「戦争と平和資料館」へ行く機会があった。二・二八事件の韓国人犠牲者朴順宗の賠償成立に大きな役割を果たし、二・二八事件沖縄追悼式に台湾から駆けつけてくれた長榮大学天江喜久副教授の情報からであった。

二〇一八年二月台北市で開催された二二八事件追悼中央式典を終えて三日後、「台湾二二八沖縄会」メンバーの又吉、漢那、南、青山ら七人は、天江氏の話に導かれて高雄市へ向かった。日本統治時代の高雄市の歴史的遺跡や二・二八事件関係を兼ねた高雄市立歴史博物館を視察すると共に「戦争と平和資料館」を訪問することであった。

老兵とは元日本兵のことである。資料館は高雄市街地から対岸の旗津島に位置し、台湾籍元日本兵の歴史を紐解き平和を希求する学びの場として元日本兵許昭栄氏が創設した資料館である。訪問した当日は天江氏が迎えてくれた。まず衝撃を受けたのは資料館ロビーに立つ三人の兵士の等身大立像写真パネルであった。東南アジア戦線に日本兵として出兵し、生還後は大陸の国共内戦の国民党兵として派兵され、人民解放軍の捕虜となり、ついには朝鮮戦争時は米軍など国連軍と対峙した兵士となった人物である。一人でこの三者の役を体験した台湾人がいたということである。展示室の壁には、貴重な資料や写真パネル等々が配置され、あらためて大日本帝国の植民地時代の台湾について学び認識することができた。

それから四か月後の六月、高雄市台籍老兵文化協会の呉祝榮理事長をはじめ三〇人余の皆さんが天江氏の引率で沖縄を訪れた。沖縄県主催の「戦没者全国慰霊祭」に参加、戦死した台湾人元日本兵を慰霊・追悼する目的であった。「二二八沖縄会」のメンバーも一行に終始同行し、南風原の旧陸軍病院壕や豊見城の旧海軍司令部壕を視察、沖縄県平和祈念資料館では、私が当資料館の運営委員ということもあって、館長と懇談交流をするなど親睦を深めた。

「慰霊祭」では会場内に県民と同席する機会を与えられ、翁長雄志知事の平和メッセージに接した。「平和の礎」では台湾人刻銘碑の前で追悼会を行ない合掌、献花を捧げた。台湾から元日本兵が来たということで、県内の新聞、テレビが注目し取材に押し掛けた。とくに、一九四三年の日本軍のビルマ（現ミャンマー）戦線におけるインパール作戦の生還者である趙中秋さん（九四歳）と、中国大陸で日本赤十字の従軍看護婦を体験した廖淑霞さん（九〇歳）の二人がインタビューに応え、「無謀な戦争で台湾から駆り出されたが、日本政府は戦後補償をなにもしてくれません」と訴えるなど大きな反響をよんだ。

台湾から同行された「高雄市二二八事件犠牲者家族会」を代表する王文宏氏（現在は二二八台湾遺族会会長）は、私に対して「戦後補償の問題は二・二八事件と同じ人権問題です。青山さん、高雄市の『二二八会』に入ってください。私も沖縄会に入りますよ。一緒に頑張りましょう」と話されたことが忘れられない。

## 「親日」ということ

以上私が見聞したことを列挙したが、台湾の人々の日本及び日本人に対する反応と認識は、台湾の過去と現在を正しく繋ぎあわせて考えなければならない。「親日（的）」などということだけでは括れないところがある。

アジア・太平洋戦争終結後、日本の植民地支配を体験してきた台湾の人々は、大陸から来た国

台北市二二八和平公園に立つモニュメント（筆者撮影）

民党政権によって、解放には程遠い抑圧的な専制支配を受けた。台湾の人々はこのような状況を「犬去りて豚来たる」と表現した。想像を絶する二・二八事件は、その後の白色テロの時代という反共軍事独裁の恐怖政治へつづき、日本統治からの解放感は完全に消え失せてしまった。

しかし人々は屈することなく、自由と正義を求めるたたかいがねばり強くすすめられ、三八年間も続いた戒厳令がついに解除された。民主化の新たなたたかいを経て、数年後からは言論・出版、政党結成の自由等々を勝ち取り、タブーを退けながらトラウマ体験を乗り越えつつ戦後大陸から来た外省人も、元々台湾に居た本省人も共生できるようになってきた。台湾の人々の苦難に満ちた「戦前五〇年」と「戦後七〇年余」の歴史に真摯に向き合い、二・二八事件の真実と真相の解明に、これまで以上に、友好と連帯、親善交流をすすめたいものである。台湾人犠牲者家族に心を寄せ、未解決の課題に共に取り組んで行くことはもとより、先に述べた犠牲者仲嵩實に関する台湾人船主の證文についての一例を見ても、台湾の人々との共同作業なしでは解決できないことである。

台湾二・二八事件は、沖縄一県だけではなく全国的な展開になってきた。二〇一六年二月の外国人初の認定賠償（青山事案）が決まったときは沖縄関係四人だけの問題と思われていたが、私の調査では日本人犠牲者が一五人もいることが判明し、未解決者が一一人になってきた。

日本政府はこのことを認識しているのであろうか。先述した「青山認定賠償」の件で陳士魁理事長が発言した「台湾は応えた。次は日本が応える時だ」という言葉をどう捉えているのだろうか。国の外交を通して広く国民に周知して遺家族を特定するなど、国には外交的対応を求めたいものである。

## 台湾は今

学者でも研究者でもない私が「台湾は今」といっても、さて、はて、ということになる。しかし犠牲者家族のひとりとして考えていることを記しておきたい。

まずは二〇一六年に民進党蔡英文政権が誕生し、二〇二〇年五月に二期目のスタートに立った時点で二つの動きに注目した。一つはこの章の冒頭で述べた蔡英文総統の新たな犠牲者名簿発表について、その前ぶれになった二二八事件記念基金会執行長の楊振隆氏のインタビュー発言である（『琉球新報』二〇一七年三月一日掲載。共同通信）。

「二・二八事件」の真相解明や被害者の名誉回復などを目的に二〇一一年に開館した「二二八国家記念館」の楊振隆館長に、二〇一六年五月に発足した民主進歩党（民進党）の蔡英文政権の取り組みを聞いた。

―蔡総統は三年以内に調査報告書をまとめると公約している。どのような内容になるか。

「李登輝政権時代の一九九二年に公的な調査がまとまったが、発生状況だけで誰がやったのか責任の所在がはっきりしていなかった。陳水扁政権時代の二〇〇六年の報告書は蔣介石（国民党総裁）の責任に言及したが、公的な文書ではなかった。今回は公的な報告書として、〇六年の報告書を補強する形で蔣介石の加害責任を明確にする。〇六年以降、機密解除された新たな資料が見つかり証拠はふんだんにある」

—学校での教育内容も変わるのか。

「公的な報告書がまとまれば、次は教科書指導要領もそれに基づいて改定されるだろう」

—蔡政権と国民党の馬英九政権の違いは。

「馬政権は被害者に非難されない程度にやっていただけ。蔡政権の下、記念館の活動を一新して学術調査や教育活動を活発化させる」

—蔣介石をたたえる台北市内の中正記念堂はどうなるのか。

「当然、展示内容は大幅に変わるだろう。中正記念堂という名称も廃止されるかもしれない。ごく一部の人を除き、台湾人にとって蔣介石は特別な存在ではなくなった。一度は神格化された彼を今は神棚から降ろすべきだ」

もう一つはその楊振隆氏が語っていた教科書指導要領のことである。二〇一八年、日本の植民地統治や二・二八事件を史実に基づき客観的な歴史観で描かれた『台湾高校歴史教科書』が発刊された。「普通高級中学歴史第一冊」とされ、出版は三民書局刊行。高校用歴史教科書七冊の

台湾2・28事件を真正面から描いた『台湾高校歴史教科書』の日本語版（薛化元主編、雄山閣刊、2020年2月。雄山閣提供）

うち採択率は三〇%を越え評価が高いという。編者は著名な歴史研究家で政治大学教授、財団法人二二八事件記念基金会理事長もつとめる薛化元氏。

台湾は国連から〝脱退〟し、孤立しているようにみえる。中国との関係は膠着状態が続き、独立についても複雑な民意が横たわっている。しかし昨今の台湾は、コロナ禍をはじめ、ジェンダー、原発等々に関する国内外における施策の評価は高く目をみはるばかりだ。香港との関わりなどメディアを通して見る人々の表情は、どこか落ち着いている。いつの時代も他者に翻弄され支配されてきた過去の歴史を凝視しつつ、対立と政争を二転三転繰り返しながら、螺旋階段をグルグル回りながら、上へ上へと昇りすすめているようである。

台湾二・二八事件の今後の課題を考える場合、大日本帝国の支配下にあった東アジア諸国に目を向けることが欠かせない。米軍上陸で悲惨な地上戦を体験した沖縄県民は今も「戦後は終わってない」状況が続いている。沖縄と通底する歴史を共有するといわれる韓国と台湾は、七四年前、帝国日本の植民地支配から解きほぐされたように見えたが、一方では新たな歴史の歯車は暗転し、「済州四・三事件」と「台湾二・二八事件」という未曾有の大虐殺事件に見舞われた。台湾はここ数年、二二八事件基金会が窓口になって「済州四・三事件」の研究・発表・展示等々を開催するなど韓国と積極的な相互交流を展開している。

このような取り組みを沖縄でも実現できないだろうか。東アジアの島嶼間における平和の交流、とりわけ、済州四・三事件、台湾二・二八事件の交流イベントを沖縄県で開催できないものかと思案している。

財団法人二二八事件紀念基金会が発行した初の日本語版『二二八事件の真相と移行期正義』（陳儀深・薛化元編、風媒社、2021年。風媒社提供）

蔡英文総統の「人権と正義、民主主義を守る」方針を具体的実践する「二二八基金会」は、二〇二一年三月、初の日本語版となる著書『二二八事件の真相と移行期正義』を刊行した。台湾を代表する知見を結集して、事件から七四年を経た歴史を俯瞰する中間的総括ともいうべき論考をしたためている。日本の研究者も登場した「出版記念オンラインシンポジウム」

が開催され、薛化元理事長は移行期正義の意味と展望について次のように述べている。（記録文書より）

白色テロ事件と違って、二二八事件の受難者のほとんどが裁判を受けることなく直に処刑されたため、（略）被害当事者の調査にはある程度の限界があったりする。ただ幸いなのは近年では決定的な資料が次から次への見つかり研究調査の成果を収めることができた。（略）当事者の語りや回想の記録なしには全貌が明らかにならない。現時点で推測すると基金会が把握している人数を越え一万人を超える可能性が高い。二二八事件から歴史の教訓を読み取り、自由、民主、人権の価値を共に守って行きたい。

オンラインには筆者も一般参加、「新たな受難者発表に日本人八人」について質問、薛化元理事長はおよそ次のように応えた。（オンライン音声より筆者聞き取り）

「犠牲者と分かれば大陸だろうが日本人であろうがどの国の人でも対応します。日本人については台湾での戸籍が見つかりません。日本のマスメディアが家族に伝わるようしていただきたい」

そのことは、歴史的事件の重さと冷徹さを如実に示していると思う。あらためて、全ての犠牲者家族、被害者の皆さんへ心を寄せ、力を合わせて全容解明に向けて邁進して行きたいと考えている。

## 謝辞　あとがきにかえて

　事件から七四年の今日、記憶を呼び戻し記録をとどめる作業をすすめ、今ようやく一冊の本を世に出すことができた。いうまでもなく先達の先生方や、研究者の方々から数々のことを学び、お力を借り、先輩、友人、親戚等々、多くの方々のご支援ご協力がなければ達成できないことであった。今はすでに物故された方々もいる。この場で主な方々のお名前をあげ、お世話をいただいた皆様には、心から感謝の気持ちをお伝えしたい。誠にありがとうございました。

　又吉盛清氏は二二八沖縄会の結成以前からお世話をいただいている。長年にわたる台湾調査研究の成果と培ってきた豊かな知識を貴重なネットワークを惜しみなく提供され、最初の台湾渡航から裁判勝訴に至るまでご指導ご教示をいただいた。筆者の「台湾行動」の展開と勝訴判決の結果は、まさに氏のご尽力なしには成し遂げられないことであった。

　李明峻氏は初めての台湾渡航からご尽力をいただいている。京都大学卒業、日本通という素養をもとに国際法学者としての知見を発揮され。裁判闘争では主導的な役割を果たされた。沖縄開催のシンポジウムに来沖され日本へのまっとうな発言をされた。

　薛欽峰氏は裁判闘争の主任弁護士。台湾弁護士会会長を務め、二〇一八年には沖縄弁護士会と共催で「合同セミナー」を沖縄で開催、来沖されて「二二八事件」をメインテーマに挙げて発言された。法廷での舌鋒鋭い人権尊重、正義感あふれる姿が印象的。

高誠晩氏は韓国国立済州大学助教授。初めてお会いしたのは一〇年近く前の京都大学大学院在学中であった。済州四・三事件の研究者で二・二八事件と沖縄戦に強い関心を抱き、二二八沖縄会の調査や追悼式に数回参加。真夏の太陽が照射する和平島で共に歩きまわったことが脳裏に焼き付いている。犠牲者家族との繋がりは今も親身に続いている。

楊孟哲氏は最初にお会いした台湾関係者であった。緑島行きをすすめられ蘇振明画伯を紹介。沖縄に何度も来県し我家にも来訪され仏壇の父に合掌していただいた。監察院高官の来沖調査を企画するなど、二二八沖縄会に温かく寄り添ってくれた。

松野良一氏は中央大学総合学部長（当時）。事件当時の中央大学卒業の台湾出身犠牲者（弁護士等）の追悼と調査研究を続け、ゼミ学生を台湾へ引率して大学発行の『中央評論』に論文を発表させ、自らは青山宅を訪ね、台湾では和平島萬善堂へ同行された。

蘇振明氏は元台北教育大学教授。著名な画家として知られ和平島や緑島へ案内していただき、沖縄では今帰仁城跡などでスケッチを共にされた。嘉義市主催の「二二八事件七〇周年記念美術展」を主導、筆者も招かれて絵画作品を出品させていただいた。

周振才氏は日本留学の歯科医師（基隆で開業）で二二八台湾遺家族会の重鎮。基隆市和平島で開催される沖縄関係犠牲者追悼式には毎年参加され激励と連帯のご挨拶をいただき、お父様は二二八事件受難者で戦前の台湾を代表する小説家の周金波。

呂英世氏は基隆市で開業する内科医師。周振才氏と共に基隆市を代表する人権・平和・民主運動の中心的人物。ＮＨＫ国際報道（二〇一五年三月）の二二八事件特集で「日本人とか台湾人とかみんな仲良くしたい。精神的にも応援しますよ」と発言された。

呉寰さんは、台北市で楽団「沖縄樂坊」を主宰する女史。コロナ禍で渡台できない二二八沖縄会に代わって和平島で追悼式を行ない、沖縄関係者四人の遺影をかざし泡盛とサーターアンダギーを供え沖縄の唄サンシンを奏でて供養してくれた。

天江喜久氏は高雄市在住の大学副教授。韓国人犠牲者の朴順宗の認定賠償成立に大きな役割を果たし、台北市の追悼中央式典で長女朴鈴心氏と筆者を引き合わせてくれた。沖縄関係犠牲者追悼式には遠路来沖され連帯のご挨拶をいただいた。

漢那昭氏は二二八沖縄会結成会から参加、会顧問である。台湾はご夫婦ともども数回も参加され、勝訴判決時の台湾行では、帰りの空港で台湾人婦人から日本人賠償について「言いがかり」をつけられ「台湾の現状認識について考えさせられた」と述懐している

南哲夫氏は奄美出身で数年前から沖縄在住。二二八沖縄会結成時から会活動の顧問格として台湾にも毎年参加されるなど犠牲者家族に心を寄せておられる。筆者の口之津、三池への調査旅行の際は大牟田市の堀栄吉氏と共にお力添えをいただいた。

ヤンバルの幼なじみ、小中高校の同級生、大学時代の学友、親戚、そして浦添地域の皆さんには、二二八沖縄会の結成会からシンポジウム、沖縄追悼式等々のイベントにも参加され、台湾渡

航と裁判闘争への物心両面からの支援をいただいた。

財団法人二二八事件記念基金会には台湾関係の写真転載について一括して窓口を引き受けていただき組織的に対応してくれた。事件に関わる重要な一〇数点の写真を懇切丁寧に提供され本書に歴史的資料を添えてくれた。謝謝。

表紙タイトルの『蓬莱の海へ』の題字を揮毫してくれたのは沖展等で活躍する書家の伊野前喜美子さん。ヤンバルの小学校、中学校の同級生、有難く頂戴致しました。

ボーダーインクの新城和博氏には乱筆乱文を丁寧に添削していただき、筆者によくお付き合いしてくれた。いーけーし、けーし（前後交錯）の文言や全体構成をうまい具合にご指南いただき、なんとか読めるような本になりました。嬉しい限りです。

おわりに私ごとで恐縮ですが、ここまでやれたのは連れ合いの憙佐子のお陰である。無い無いづくめの相棒の本づくりのために、たいていのことを排除して優先させてくれた。今は亡き息子の耕にも伝えたい。天国で祖父母と共に読んでもらいたい。娘の富田あさひと安座間奈緒、婿の富田志恒と安座間充には節目節目で支えてくれた。孫の安座間徳、富田尊陽、富田汐遥、安座間優には、昔々青山惠先という曽祖父がいて、こんなことがあったということを伝え、平和な明るい未来へつないでほしい。みんな、ありがとう。


二〇二一年九月一五日、母・美江の命日にあたって　　　青山惠昭

## 引用・参考文献

【二・二八事件、台湾関係】


財団法人二二八事件紀念基金会著『二二八事件の真相と移行期正義』（日本語版）風媒社　二〇二一年
財団法人二二八事件紀念基金会編著『二二八事件　責任帰属研究報告』同会発行　二〇〇六年
又吉盛清『沖縄県史ビジュアル版　沖縄と台湾』沖縄県教育委員会　二〇〇〇年
又吉盛清『台湾二二八事件沖縄関係調査報告書』二・二八事件沖縄調査委員会　二〇〇七年
又吉盛清『大日本帝国植民地下の琉球沖縄と台湾』同時代社　二〇一八年
李明峻『個人的請求権／二二八事件的琉球人受害者問題』臺灣國際法季刊5巻2期　二〇〇八年
高誠晩『〈犠牲者〉のポリティクス』京都大学学術出版会　二〇一七年
台湾弁護士会編『季刊在野法潮（二二八灣生求償案勝訴／許慈倩）』台北律師公會　二〇一六年
張炎憲・胡慧玲・高淑媛『基隆雨港二二八』呉三連台湾史料基金會　二〇一一年
薛化元主編『詳説 台湾の歴史―台湾高校歴史教科書―』（日本語版）雄山閣　二〇二〇年
薛化元『二二八事件をめぐる歴史清算問題』中京大学季刊51巻2-3号　二〇一七年
何義麟『台湾現代史―二二八事件をめぐる歴史の再記憶』平凡社　二〇一四年
王育徳・宗像隆幸『新しい台湾―独立への歴史と未来図』弘文堂　一九九〇年
台北市政府文化局編『台北二二八記念館の常設展示特集』台北市政府文化局・台湾二二八紀念館　二〇一一年
沖縄県博物館・美術館編著『彷徨の海―旅する画家・南風原朝光と台湾、沖縄展』二〇一七年
朱徳蘭「基隆社寮島の沖縄人ネットワーク」『人の移動、融合、変容の人類史』彩流社　二〇一三年
中央評論編集部『中央評論　297号』「特集「沖縄の記憶」をつなぐ」中央大学出版部　二〇一六年
天江喜久『朴順宗／二二八事件中朝鮮人韓僑的受難者』臺灣風物64巻3期　二〇一七年

富永悠介『〈あいだ〉に生きる―ある沖縄女性をめぐる経験の歴史学』大阪大学出版会　二〇一九年
若林正丈『台湾の政治　中華民国台湾化の戦後史』東京大学出版会　二〇〇八年
伊藤潔『台湾　四百年の歴史と展望』中公新書　一九九三年
台湾青年社『台湾青年』第六号二・二八特集号　一九六一年
周婉窈『増補版　図説 台湾の歴史』平凡社　二〇一六年
田中直吉・戴天昭『米国の台湾政策』鹿島研究所出版会　一九六八年
野嶋剛『台湾とは何か』ちくま新書　二〇一六年
菊池一隆『台湾北部タイヤル族から見た近現代史』集広舎　二〇一七年
平野久美子『牡丹社事件　マブイの行方　日本と台湾、それぞれの和解』集広舎　二〇一九年
佐藤春夫「社寮島旅情記」『定本佐藤春夫全集』第21巻　臨川書店　一九九九年
西村京太郎『十津川警部　愛と絶望の台湾新幹線』講談社　二〇一六年

【奄美・与論】
増尾国恵『与論島郷土誌』与論島郷土資料刊行委員会　一九六三年
山田実『与論島の生活と伝承』桜楓社　一九八四年
与論町史編纂委員会『与論町史』与論町教育委員会　一九八八年
輿州奥津都城会『三池移住五十年の歩み』一九六六年
大牟田・荒尾地区与論会記念誌編集員会『与論島から口之津へ、そして三池へ』二〇〇一年
新藤東洋男『三井鉱山と与論島』人権・民俗問題研究会　一九六五年
新川和江・川西到『与論島を出た民の歴史』たいまつ社　一九七一年
日本共産党奄美地区委員会『奄美の烽火　奄美共産党史　1947―1955』一九八四年

南日本新聞社編『与論島移住史 ユンヌの砂』（執筆・福石忍一九七三年）南方新社　二〇〇五年
南日本新聞社編『鹿児島戦後開拓史 荒野に生きた先人たち』（執筆・福山満雄一九八七年）南方新社　一九九九年
知名町教育委員会編『江戸期の奄美諸島　「琉球」から「薩摩」へ』南方新社　二〇一一年
名越護『奄美の債務奴隷ヤンチュ』南方新社　二〇〇六年
児玉恵智子編『文芸・評論郷土誌　るりかけす』（63号）奄美るりかけすの会　二〇一九年
土井智義『米国統治期の在沖奄美住民の法的処置について』（沖縄県公文書館紀要第16号）二〇一四年
田畑洋一編著『奄美の復帰運動と保健福祉的地域再生』南方新社　二〇一九年


【沖縄、引揚、密航】


国頭村役場編『国頭村史』（宮城栄昌）　国頭村役所　一九六七年
沖縄風土記刊行会編『国頭村の今昔』（宮城聰）　沖縄風土記刊行会　一九七〇年
福地曠昭『糸満売り　実録・沖縄の人身売買』那覇出版社　一九八三年
新里恵二・田港朝昭・金城正篤『沖縄県の歴史』山川出版社　一九七二年
嶋津与志『沖縄戦を考える』ひるぎ社　一九八三年
上原正稔『沖縄戦トップシークレット』沖縄タイムス　一九九五年
渡久山寛三『遥かな祖国』ひるぎ書房　一九八二年
石原昌家『空白の沖縄社会史　戦果と密貿易の時代』晩聲社　二〇〇〇年
与那国町史編纂委員会『与那国町史』（別巻 写真集）一九九七年
与那国町史編纂委員会『与那国町史』（第三巻歴史編）与那国町教育委員会　二〇一三年
基隆市真砂国民学校同窓会編『真砂会　20年のあゆみ』一九九二年
大浦太郎『密貿易島　我が再生の回想』沖縄タイムス社　二〇〇二年

松田良孝『台湾疎開　琉球難民の一年十一ヵ月』南山舎　二〇一〇年
松田良孝『与那国台湾往来記　「国境」に暮らす人々』南山舎　二〇一三年
赤嶺守編『「沖縄籍民」の台湾引揚げ証言・資料集』琉球大学法文学部　二〇一八年
津田邦宏『沖縄処分　台湾引揚者の悲哀』高文研　二〇一九年
台湾引揚記編集委員会編『琉球官兵顛末記』（知花成昇）台湾引揚記刊行期成会　一九八六年
大川敬蔵編著『歴史としての台湾引揚』台湾引揚研究会　二〇〇八年
河原功『日本人の台湾引揚げ』『台湾引揚者への戦後補償』台湾協会報　二〇二〇年

めて参加。以後 6 年連続「追悼の旅」を実施
12 月 二二八基金会、青山惠先認定賠償請求を却下
2015 年（平 27） 1 月 不服申立て、7 月行政院長（首相）再び却下
9 月 台北高等行政法院（裁判所）へ提訴。11 月第一回公判
2016 年（平 28） 1月16日 総統選挙で民進党蔡英文氏が当選(8年ぶりに政権奪回)
2 月 17 日 第三回公判で原告青山が勝訴
4 月 8 日 沖縄で初の 2・28 シンポジウム開催
11 月 与那国島出身犠牲者、仲嵩實と石底加禰が認定賠償請求申請、翌年 7 月仲嵩、石底不成立、却下される
2017 年（平 29） 1 月 韓国人朴順宗、外国人 2 人目の認定賠償成立
4 月 29 日 沖縄で初めて「2・28 事件沖縄関係犠牲者追悼式」開催
2 月 石垣島出身大長元忠申請、翌年 2018 年 3 月却下される
2018 年（平 30） 1 月 長野県出身堀内金城、日本人 2 人目の認定賠償成立
12 月 蔡英文政権・基金会が事件逮捕者名簿第一次 477 人を公表
2019 年（令 1） 2 月 沖縄から「2・28 事件追悼中央式典」（台北市）へ過去最大 30 人余が参加
2020 年（令 2） 2 月 蔡英文政権 2 期目へ
2021 年（令 3） 2 月 2 年連続台湾渡航断念、台北市の沖縄音楽グループ「沖縄楽坊」二二八沖縄会に代わって和平島で追悼式を開催
3 月 二二八基金会、日本語版『二二八事件の真相と移行期正義』を刊行。

（2021 年 8 月 著者作成）

## 本書関連年表

1871年（明4）　台湾牡丹社事件／琉球船遭害事件～
1874年（明7）「征台の役」台湾出兵
1879年（明12）「琉球処分」、沖縄県設置（廃藩置県）
1895年（明28）台湾「割譲」、日本による植民地化
1899年（明32）与論島民、長崎口之津へ集団移住（第一次240人）
1908年（明41）青山惠先、与論島で生まれる
1913年（大02）渡慶次ウト、沖縄国頭村で生まれる（後に美江に改名）
1921年（大10）青山惠先（13歳）小学校卒業、鹿児島へ年期奉公
1928年（昭03）惠先、鹿児島から九州西海域、三池へ
1930年（昭05）台湾・霧社事件発生
1935年（昭10）惠先、台湾基隆社寮島へ
1937年（昭12）惠先、「支那事変」に徴兵。1939年（昭14）帰還
1940年（昭15）渡慶次一家、沖縄県国頭村から台湾へ移住
1941年（昭17）惠先、渡慶次美江と結婚
1943年（昭18）惠昭、台湾社寮島で生まれる。8月ごろ惠先ベトナムへ徴兵
1945年（昭20）日本敗戦、アジア・太平洋戦争終結
1946年（昭21）2月惠先復員、5月惠先鹿児島に滞留、美江へはがき送る
12月 美江と惠昭、台湾から引揚げ、長崎佐世保へ
1947年（昭22）1～2月 美江、鹿児島到着、惠先は台湾へ向かう
2月28日　台湾2・28事件発生
3月8～11日　惠先、基隆社寮島で事件遭遇し、失踪
1949年（昭24）7月頃 美江、鹿児島から沖縄国頭村へ移住
1950年（昭25）1月頃 惠先、事件遭遇行方不明との伝言を受ける
1953年（昭26）12月25日 奄美諸島、日本復帰
1954年（昭27）1月 美江と惠昭「非琉球人」となる。美江は米軍基地で働く
1971年（昭46）1月 美江と惠昭、奄美大島経由で与論島へ渡航
中国国連加盟、中華民国（台湾）国連脱退
1972年（昭47）5月15日 沖縄、日本へ復帰
1980年（昭55）9月 惠先の三三回忌行なう
1987年（昭62）台湾、戒厳令解除。台湾民主化の流れが盛んに報道される
1989年（昭64）2・28事件を扱った台湾映画「悲情城市」が国際的反響を呼ぶ
1993年（平05）惠先「失踪宣告」を那覇家庭裁判所へ申立て。翌年審査確定
1995年（平07）李登輝総統、国民党政権による2・28事件の責任を認め謝罪
「財団法人二二八事件紀念基金会」を設立
2000年（平12）総統選挙で民進党陳水扁が当選。国民党以外初の政権誕生
2007年（平19）2月 先澤と惠昭が渡台「二二八追悼中央式典」に初参加
2008年（平20）1月 総統選挙で国民党馬英九氏が当選
2010年（平22）9月 母美江死去（96歳）
2011年（平23）3月 青山惠先の認定賠償請求を申請（時限立法により預かり）
2013年（平25）7月下旬　惠昭、和平島で聞き取り調査を行なう
8月2日 二二八基金会を正式訪問、正式申請受理される
2014年（平26）1月「台湾2・28事件、真実を求める沖縄の会（略称台湾二二八沖縄会）」を設立。会として2月の追悼式典（花蓮市）に初

青山恵昭　(あおやま けいしょう)

1943年台湾基隆市社寮島生れ。1946年12月長崎県佐世保へ引揚げ、鹿児島市に2年余り滞留。1947年2月～3月父恵先台湾2・28事件に遭遇失踪。1949年母の実家のある沖縄国頭村へ移住、高卒（辺土名高校）まで育つ。1964年琉球大学入学（1968年退学）。代用教員、琉球立法院勤務（1968年11月～1972年5月）。復帰後、美術デザイン社共同経営。以来、フリーデザイナーとして印刷、旅行業に関わる傍ら創作活動、美術教室主宰、平和美術展、グループ展、個展等々で作品発表。
現在：㈶台湾協会、沖縄台湾会、日中友好協会、沖縄平和ネット等々会員、台湾2・28事件真実を求める沖縄の会代表。元沖縄県平和祈念資料館運営委員（2013年～2019年）。

蓬莱の海へ
台湾二・二八事件　父の失踪と家族の軌跡

2021年9月30日　初版第一刷

著　者　　青山　恵昭
発行者　　池宮　紀子
発行所　　(有) ボーダーインク
〒902-0076 沖縄県那覇市与儀226-3
tel098-835-2777　fax098-835-2840
http://www.borderink.com

印　刷　　株式会社 東洋企画印刷

 ISBN978-4-89982-414-5 C0021